这才是清朝

鹿鼎公子◎著

第2版

帝国崛起

中国法制出版社
CHINA LEGAL PUBLISHING HOUSE

总序

清史洋洋洒洒近三百年，三百年间怪事、奇事、惨事、恨事迭出，三百年年年都精彩，年年都有挥之不去的喜怒爱恨。整个清朝三百年，道不尽的风云爱恨。

努尔哈赤以十三副铠甲起兵，建立了后金，身后留下了无数的尸体，却最终倒在宁远城下，栽在“书生”袁崇焕手中，这是对一个暴力征服者的最大讽刺。随后，努尔哈赤诸子开始斗智斗勇，最后皇太极靠谋略成功上位。

皇太极穷其一生的精力都在与明朝对抗，不幸暴毙后，大清国的统治陷入危机，多尔衮与豪格之争最终便宜了顺治。多尔衮率领清军入关后，成为皇父摄政王，将全国军政大权操于一手，顺治完全被架空。此时，孝庄和顺治母子随时都有生命危险，危难关头，孝庄稳住多尔衮，终于使大清逃过这一劫。

顺治是个痴情天子，亲政后经常跟母亲孝庄闹不愉快，结果自己和董鄂妃双双早逝。康熙继位时年仅八岁，不过这是个早熟的孩子，也是个很有天赋的孩子，很早就懂得帝王之术。在别人还是懵懂少年时，他就已经像个猎人一样盯紧了鳌拜，除掉鳌拜之后，康熙终于有机会施展自己的雄才大略。

康熙神不知鬼不觉地除掉鳌拜，平定三藩之乱，收复台湾，荡平准噶尔，击退沙俄……

雍正在治国理念上最大限度地奉行韩非子的法家思想。乾隆是个自作聪明的皇帝，他继位后，废除雍正的严刑峻法思路，重新走康熙的路子。但乾隆并不懂康熙真正的治国精髓，结果变成了外用儒术、内用权术，所以清朝在乾隆时期开始走向衰落。

自乾隆后期，动乱纷起，尤其是白莲教起义几乎波及整个中国。到了嘉庆手中，国家元气已大伤，嘉庆虽然是个仁君，可惜终究没有先祖那份雄才。他虽然减缓了国家的衰败，但始终没能重振大清的雄风。到了道光手中，国家就更惨了，第一次鸦片战争被英国人欺负得够呛，国内的动乱更是风起云涌。

咸丰就更悲剧了，太平天国和天地会起义，全国天翻地覆。更糟的是英法联军来了，他连京城都保不住，年仅三十岁便郁郁而终。咸丰死后，朝政大权掌握在慈禧手中，国家每况愈下，虽然中途出现过洋务运动和维新变法，可惜终究是昙花一现。

清末虽然出现了曾国藩、左宗棠这样的中兴名臣，但亡局已定。最终，辛亥革命一声炮响，末代皇帝溥仪退位。

千古帝王，悠悠万事，功过自有百姓言，清朝这些事儿，就交给读者去慢慢品味吧！

序言

据说努尔哈赤的先祖们住在长白山天池附近，而且有个很美的传说。一天，有三个仙女到天池里洗澡，结果一只喜鹊啄来一个果子，让三个仙女中最小的一个妹妹怀孕，生下了布库里雍顺，这个仙女的儿子便是清朝的始祖。

努尔哈赤的祖父和父亲都对明朝忠心耿耿，然而很不幸，他们都死在明军手中。祖父和父亲的死在努尔哈赤心里种下了对明朝的恨，他向明朝索要赔偿。结果明军用十三副铠甲、几十匹马把他打发了，努尔哈赤把这些资本当成自己的“第一桶金”。

从此，草原上多出了一匹野狼。努尔哈赤用自己的实力证明了他才是草原上最凶猛、最狡猾、最无敌的苍狼，他用四十多年的时间统一女真各部，稳住蒙古各部，奠定了在草原上的地位。随后，他开始出兵讨伐明朝，所向无敌，直至遇到袁崇焕。

草原苍狼一世英雄，却在袁崇焕一个文弱书生面前碰得头破血流。撤离宁远城不久，努尔哈赤就一命呜呼，至死他都想不通，自己纵横天下几十年，无人能敌，无人能挡，怎么就败在一个手无缚鸡之力的书生手中。

努尔哈赤走得匆忙，连个遗嘱都没留下来，或者留下了遗嘱，但被人篡改了。总之，他死后，一场激烈的储位争夺战开始了。正所谓“狭路相逢勇者胜”，大妃阿巴亥虽然地位尊崇，三个儿子手握三旗兵马，无奈皇太极谋略更高一筹，不但逼死了阿巴亥，打压多尔衮三兄弟，更将汗位收入囊中。

皇太极是个英明的领导者，虽然武功比不上努尔哈赤，但治国头脑绝对比努尔哈赤要高。在他手中，后金变成大清，国势蒸蒸日上。但皇太极仍然不是袁崇焕的对手，袁崇焕建立的关宁防线依旧牢不可破。

皇太极虽然没能击败崇祯，但确实将大明折腾得气数将尽，最后被李自成轻松占领京城。努尔哈赤和皇太极都是大清的奠基者，可谓两位开山祖宗。努尔哈赤用武力打下了大清的基石，皇太极用文治巩固和拓展了大清的基业。

然而，主张以仁政治国的皇太极活得时间却很短，五十一岁的时候突然暴毙。他的死因至今仍是个谜，有人认为是病死的，有人认为是被多尔衮和孝庄谋杀的。皇太极之死成为清初的重大谜案之一。

皇太极除了文治武功之外，与海兰珠的爱情也是他一生中的亮点。作为努尔哈赤的儿子，战争和权谋几乎占据了皇太极全部的生活，但在杀戮与争夺之外，他总算找到了自己的真爱——海兰珠。

真爱总是以悲剧的结局收场，为皇太极生下的儿子不幸夭折后，海兰珠陷入抑郁，不久便撒手人寰。海兰珠去世后，皇太极深受打击，没过多久也随海兰珠而去。

杀伐权谋之外还有真情，皇太极也不失为一个真英雄。

目录

上篇

草原英雄努尔哈赤

第一章　神　　话

一幅充满春意的画面出现在我们面前，三个迷人的仙女在湖水中嬉戏，不时还发出阵阵娇笑声。本来只是洗澡而已，如果没有意外的话，一切风平浪静，三个仙女会按时回到天庭和家人们一起晚餐。不光历史，神话中也往往充满了意外，这次捣蛋的是一只喜鹊。这只喜鹊干了啥坏事呢？这事要放在现在可是大事，这喜鹊居然让三妹佛古伦怀孕了。

努尔哈赤的简历

满族本是女真族的后代，南宋时金国铁骑在中原长驱直入，险些就将中原的大好江山据为己有。岂料“螳螂捕蝉，黄雀在后”，蒙古人从背后插了一刀，先用二十三年的时间将曾经不可一世的金国灭掉，然后又用五十多年时间灭掉了看似柔弱的南宋。

金国被灭之后，女真族从此沦为流民，零落四散，后来又慢慢聚集起小的部落，但是从此再也没有建立一个强大的国家，直到爱新觉罗·努尔哈赤的出现。努尔哈赤好比是蒙古人的成吉思汗，他凭借一己之力，统一了女真各个部落，建立起后金政权。那么，“大清”这个国号又是怎么来的呢？

相传，努尔哈赤曾经被敌人追杀，骑着一匹青色的马逃跑，这匹马跟随他南征北战多年，彼此之间有一种默契。它仿佛知道努尔哈赤处境危险，驮着受伤的努尔哈赤一路狂奔，终于摆脱了追兵。可惜这匹马停下来的时候却倒地不起，活活累死了。努尔哈赤很心疼，含泪将它埋葬，并在马的坟前说：“大青马啊大青马，倘若有一天我努尔哈赤建立霸业，国号就叫‘大清’！”

这只是英雄与骏马传说的又一版本，事实上努尔哈赤的国号是“金”，“大清”的国号是皇太极选的。学者推测，大清可能来自蒙古语，意思是善战者、出类拔萃者。皇太极马上打天下，希望后世子孙永远继承祖先的尚武精神。

努尔哈赤是大清帝国的奠基者，在清朝历史中享有最尊贵的地位。清初“三祖一宗”，庙号中能够享有“祖”字的大都是雄才大略的皇帝。努尔哈赤是清朝的开国皇帝，庙号太祖；顺治是第一个入关统一中原的皇帝，庙号世祖；康熙皇帝文韬武略，开疆拓土，守成的同时不忘拓展业务，功劳显赫，庙号圣祖。皇太极虽然也是一代雄主，可惜死得早，只享有太宗的庙号。皇太极如果多活十几年，入关就轮不到多尔衮和顺治了。

我们先来看看清朝第一个皇帝努尔哈赤的简历吧！

姓名：爱新觉罗·努尔哈赤

生卒年：1559—1626 年（享年 67 岁）

庙号：太祖

荣誉称号：承天广运圣德神功肇纪立极仁孝睿武端毅钦安弘文定业高皇帝

创业时间：二十四岁以十三副铠甲起兵

对象：十六人，其中叶赫那拉是皇后

子女：十六个儿子，八个女儿

继承人：皇太极

最大的成就：建立后金

最大的失败：宁远之战，败给当时名不见经传的袁崇焕

最不幸的事：祖父和父亲被明军误杀

最痛心的事：杀死长子褚英

最擅长的事：打仗与谋略

暴力创业背后的美丽神话

努尔哈赤出生的那一年正是明世宗嘉靖三十八年（1559 年），嘉靖皇帝朱厚熜是明朝历史上一个非常荒唐的皇帝。这

个人倒不怎么坏，也不残暴，但他长年累月迷恋神仙道术，竟然开创了皇帝二十多年不上朝的纪录，结果让奸臣严嵩专权十七年之久。明朝后期尽出这些皇帝，努尔哈赤可谓是生得很逢时。

努尔哈赤出生于今天辽宁省新宾满族自治县，父亲是塔克世，母亲是喜塔喇氏。努尔哈赤以暴力的方式为大清奠定了基业，地位尊崇，人们自然会好奇，他的祖先是谁呢？

根据《清太祖实录》的记载，努尔哈赤的先祖居住在长白山一带，如果书中所记叙的内容属实的话，那么他们应该是住在离长白山天池不远处。书中说“山上有潭，曰闼门”，这个闼门很可能就是指天池。闼门原意是指天池的出口，后来引申为天池。

中国古代帝王的神话实在是太多了，努尔哈赤也不例外。有些神话很美丽，但是它的本质却很狰狞。德国政治经济学家马克斯·韦伯曾经这样区分魅力统治和法律统治：魅力统治的基础是被统治者相信统治者具有某种超凡的能力、品格及魅力，为了强化统治力量，这些能力与其说是后天获得的，不如说是自然、神或者命运赏赐的；而法律统治则是你有管理的才能，我们把国家交给你。

魅力统治往往是跟暴力统治联系在一起的，努尔哈赤的一生是暴力征战的一生，为了给暴力披上一层诗意和貌似合法的面纱，他需要美化一下自己的出身。

故事是这样的，某一天——这一天具体是哪年哪月哪日没人知道，总之是年代久远。在布尔湖上空飘来三朵云彩，仔细一看，发现是三位仙女下凡。这三位仙女是三姐妹，大姐叫恩古伦，二姐叫正古伦，三妹叫佛古伦。这三姐妹长得都非常漂亮，她们下凡也不是有什么大事，就是在纯净的布尔湖里洗洗澡。

一幅充满春意的画面出现在我们面前，三个迷人的仙女在湖水中嬉戏，不时还发出阵阵娇笑声。本来只是洗澡而已，如果没有意外的话，一切风平浪静，三个仙女会按时回到天庭和家人们一起晚餐。不光历史，神话中也往往充满了意外，这次捣蛋的是一只喜鹊。这只喜鹊干了啥坏事呢？这事要放在现在可是大事，这喜鹊居然让三妹佛古伦怀孕了。

喜鹊当然没能力让仙女怀孕，不过这喜鹊口里衔着一颗红色的果实。这只坏喜鹊也不知是受谁的指使，居然将果子放在三妹的衣服上。三妹看到这晶莹剔透的红果子，很是喜欢，穿衣服的时候把果子含在嘴中，结果一不小心就吞下了。

刚一吞下，三妹就感到身子发重，肚子里好像多出了什么东西。身体发重，飞起来就特别困难。两位姐姐是过来人，一看就知道是怎么回事，都说："三妹，看你这样子，八成是受孕了。现在你也不要抱怨了，冤大头肯定是找不到的，这一切都是上天的安排啊！你就在凡间好好休养吧，把小家伙生出来，我们再来接你。姐姐就先走了。"

这两位姐姐不厚道，妹妹一怀孕，就不闻不问。幸好，这三妹也挺有生活自理能力的，不用找接生婆，自己就把儿子产了下来。这男孩刚一出生，就会说人话。更奇怪的是，还没几分钟，他就一下子长大成人了——仙女的后代嘛，可以理解。

三妹虽然生孩子的能力比较强，但不是一个好母亲，天庭多舒服啊！她看了看孩子，便把自己是如何生下他的如实告诉他，算是给孩子最早的性教育启蒙吧！接着她又说："你姓爱新觉罗，名布库里雍顺。上天让我生下你，就是为了让你成就大业，平定那些混乱的国家，并好好地治理它们。你现在顺着这条小河游下去，就会到达你的目的地，你将统治那里的人民。孩子，去吧，别辜负娘的期望。"

神的后代就是不一样

爱新是族名，觉罗是姓氏，后来爱新觉罗合为一个姓氏，意思是像金子般高贵的觉罗族。

这个布库里雍顺真是一个好孩子，目送母亲飞天之后，立刻找了一叶小舟，顺流而下，终于找到有人烟的地方。这个地方叫鄂多理城，在今天黑龙江省依兰县的南面。布库里雍顺一来就看到他们互相厮杀。布库里雍顺一看，果然如仙女母亲说的，这地方的人特别混乱，得好好治理他们。

布库里雍顺坐在一个地方，后来有人看他非常奇怪，一直端坐着摆姿势，那时人们很少见到摆酷的，所以很好奇，便过来问他，你是谁，从哪里来，往哪里去。

布库里雍顺自豪地说："我从雪山来，仙女佛古伦是我的母亲，我叫爱新觉罗·布库里雍顺，我是来拯救你们的，从此以后你们要跟着我，不要再互相仇视，要和和睦睦。"

这地方的人听他这么一说，就相信了他，还拥戴他为国王。

传说中的这个布库里雍顺就是清朝的始祖。布库里雍顺虽然能力非凡，但是生的后代却很不争气。由于这些败家的子孙"前仆后继"地努力，引发了动乱，布库里雍顺的后代大部分被杀，只剩下一个小儿子侥幸逃脱。

这个小儿子叫范察，他逃到一个荒野中，但是后面的人还是紧追不舍。眼看就要命丧于此，范察灵机一动，反正现在夜色黑暗，不如装成一段枯木，或许能逃过一劫。于是，他一动不动，蹲在地上，好比一段枯木。突然，一只喜鹊飞了过来——又是喜鹊。喜鹊对爱新觉罗家族确实很眷顾，为了迷惑追兵，喜鹊故意落在范察的头上。

追兵们来到旷野中，四处查看，忽然看到有一个有点儿像人又有点儿像枯木的东西。

"会不会那个就是范察？故意躲在那里装木头人。"一个追兵说。

"不可能，你昏头了，喜鹊怎么会落在人的头上呢，肯定是枯木了。"另一个追兵说。

追兵们找不到范察，只好打道回府。范察逃出去以后，对自己的子孙后代留了一道祖训："不可以伤害喜鹊，喜鹊是神鸟。"

范察逃走之后，终身隐姓埋名，是个胆小怕事的主儿。这个传说不外乎是告诉人们，努尔哈赤的先祖得到神的庇佑，另外也证实了满族人优待喜鹊并非空穴来风。

范察有一个非常了不起的孙子，叫孟特穆。此人志向不小，想要恢复布库里雍顺时的辉煌。根据《大清满洲实录》，孟特穆这人很了不起，有勇有谋，把仇人引诱到苏克素护河呼兰哈达山下一个叫赫图阿拉的地方，然后杀一半，留一半，总共杀了四十多人，剩下的四十多人先留着做人质和奴隶。后来，孟特穆定居在赫图阿拉；再后来，他的气消了，把另外四十多人放走了。

孟特穆在明朝和朝鲜的官方文书中又被写作"猛哥帖木儿"，学者们推测，孟特穆活跃时期大概在洪武年间和明成祖朱棣期间。

这个孟特穆确实是个有脑子的人，他为子孙后代选择了一个好地盘。赫图阿拉前有苏克素护河，背靠呼兰哈达山，有山有水，渔猎方便，适合居住和发展。这块地方是一块宝地。后来清朝追尊孟特穆为肇祖原皇帝，说明他们看到了孟特穆的重要性。

孟特穆是努尔哈赤的六世祖，生有两个儿子，长子是董山，次子是阿谷。

朱棣见到孟特穆后，乐呵呵地封他为建州卫都指挥使。

建州地方非常大，西至今吉林省吉林市东南，东近日本海，北达穆棱河，南过图们江。朱棣把这么一大块地方给他，当然不是为了让他养老，而是让他遏制朝鲜和蒙古。

孟特穆也很识抬举，尽心尽力为朱棣办事，所以君臣之间关系非常不错。

在斡木河之变中，孟特穆听从朱棣的命令，去招抚一批不太听话的女真族。招抚没有成功，双方大打出手，这是孟特穆没有料到的，他万万没有想到还有人敢跟大明作对。因为这一个没料到，自己和次子阿谷都在战乱中丧命，长子被人掳走，只有弟弟凡察逃脱。

虽然孟特穆的后代努尔哈赤建立的大清取代了大明江山，但是清朝的先祖中还是有一些对明朝"忠心耿耿"的人。这层关系，也是后来努尔哈赤崛起的资本。大家可以想想看，如果没有祖上与明朝的这些关系，后来努尔哈赤的祖父和父亲被明军误杀，明军能说赔偿就赔偿吗？而明军的赔偿是努尔哈赤崛起的"第一桶金"。

后来，迫于明朝这个大帝国的压力，"叛徒们"不得不归还孟特穆的长子董山。董山本以为大难不死必有后福，没想到回来后，没法继承父亲的职位。为啥呢？叔父凡察在那儿霸占着，这样一来，家庭不和谐，一场斗争是免不了的。

明朝为了缓和这对叔侄之间的矛盾，给董山升职，让他和叔叔平起平坐。没想到这个举措不但没有缓和矛盾，反而让矛盾升级。这是可以理解的，一山不能容二虎。实在没办法了，明朝决定将建州一分为二，左卫由董山掌管，右卫由凡察掌管。这样一来，各有各的地盘，井水不犯河水，矛盾才得以缓解。

董山与明朝的关系不太好，势力强大之后，经常在边境处打砸抢。董山的三儿子叫锡宝齐篇古，锡宝齐篇古只有一个儿子，叫福满。福满就是努尔哈赤的曾祖，后来被追尊为兴祖直皇帝。福满有六个儿子，第四子叫觉昌安，是努尔哈赤的祖父，后来被追尊为景祖翼皇帝，居住在赫图阿拉。觉昌安的第四子塔克世是努尔哈赤的父亲，后来被追尊为显祖宣皇帝。

最后，我们为努尔哈赤的直系祖先编一条线索：布库里雍顺—范察—孟特穆—董山—锡宝齐篇古—福满—觉昌安—塔克世。

第二章　十九岁出门闯天下

努尔哈赤出生于1559年，也就是嘉靖三十八年，作为家中的长子，如果没有意外的话，他这辈子会非常平静幸福。父亲去世后，就是他继承职位。但世事无常，老天注定不会让努尔哈赤这样一个奇才过着平淡平庸的生活。

走向社会

根据《清史稿》的记载，努尔哈赤的母亲喜塔喇氏怀孕十三个月才生下他，“孕十三月而生”，比平常人多酝酿了三个月，怪不得这儿子后来那么神勇。《清史稿》说努尔哈赤长大后外表看上去非常雄伟，有伟人风范，“仪表雄伟，志意阔大，沈几内蕴，发声若钟，睹记不忘，延揽大度”。翻译过来，就是说努尔哈赤这个人仪表堂堂，思想阔大，深谋远虑，声音响亮如洪钟，看书过目不忘，心胸宽阔，可以招揽各种各样的人才。

《清史稿》这些话说得也不算夸张，从努尔哈赤的表现看，也算得上名副其实。

努尔哈赤出生于1559年，也就是嘉靖三十八年，作为家中的长子，如果没有意外的话，他这辈子会非常平静幸福。父亲去世后，就是他继承职位。但世事总是无常的，老天注定不会让努尔哈赤这样一个奇才过着平淡平庸的生活。

努尔哈赤青少年时期的生活是非常困窘的，曾经流落到抚顺等地，还给一个女真部落的首领当过伙夫。这段经历有一个比较有意思的桥段，这个首领虽然不是一个美食家，但绝对是一个美食铁杆粉丝。每顿饭都要八菜一汤，一样也不能少。有一次宴会，首领让一个女厨师做饭，努尔哈赤帮她打下手。这个女厨师不知道咋回事，做到第七个菜的时候突然晕倒了。这时，首领正等着最后一道菜，没办法，努尔哈赤只好自己上场，他把切好的里脊肉裹上蛋黄液，然后放进锅里翻炒。结果给首领尝后，首领觉得今天这道菜跟往常不太一样，特别好吃、特别香，便问努尔哈赤缘由，努尔哈赤如实相告。首领听了很高兴，问努尔哈赤这道菜叫啥名字，努尔哈赤为了讨吉利，答道："这菜叫黄金肉。"

这个故事告诉我们，努尔哈赤不仅会打仗，也很有厨师天赋。据说，每届大典都要上黄金肉，而且上这道菜都要讲讲这个故事，希望后人不要忘记这个打江山的老祖宗。

努尔哈赤的童年是幸福的，父亲有权有势，母亲很贤惠，又很疼爱他。十岁那年，人生的第一次打击终于来到，努尔哈赤的母亲病逝。继母那拉氏对他很不好，可能是嫉妒这孩子比自己的儿子优秀，所以想方设法冷落虐待他。《大清满洲实录》记载："十岁时丧母。继母妒之。父惑于继母言，遂分居，年已十九矣。家产所予独薄。后见太祖有才智，复厚与之。太祖终不受。"

从这里面我们可以看到，继母对努尔哈赤很不好。十九岁那年，继母说服老公跟努尔哈赤分家，只给努尔哈赤一点点财产。努尔哈赤被迫独立生活。后来，父亲塔克世发现努尔哈赤这孩子能力强，准备多给他点儿财产，不过努尔哈赤自尊心很强，坚决不接受。

自尊心是需要本钱的，没有钱就没有尊严，这个道理我们现在都懂。所以努尔哈赤敢于拒绝父亲，说明他那时候已经可以自立。努尔哈赤没什么手艺，他是怎么解决经济问题的呢？

努尔哈赤虽然没什么手艺，但是力气和武功还是有一些的。为了糊口，他经常跑到山里去打猎，什么野猪啊、麋鹿啊、花貂啊、野鸡啊，靠着打猎糊口还是没问题的。除此之外，努尔哈赤也在山里面采摘一些果子、木耳、蘑菇之类的，运气好的话，偶尔还能碰到一些人参。

当时，抚顺有一个马市，也就是集市，这是明朝政府设立的贸易点，目的是方便汉族和女真族通商贸易。努尔哈赤经常把自己从山里“淘”到的东西拿到马市上去卖，赚钱的同时也接触了不少的商贾，这些商贾来自不同地方，有女真人和汉人，也有蒙古人，还有朝鲜人。也就是在这段时间，努尔哈赤学会了汉语、蒙古语、朝鲜语，为日后打江山奠定了文化基础。

大家知道，努尔哈赤打仗非常厉害。其实，努尔哈赤底子比较好，后来又迫于生活压力，不得不上山打猎，慢慢地，各种兵器就要得有模有样了。不过，努尔哈赤的看家本领是骑射，他箭术之精湛让人刮目相看。关于他的箭术，还有一个类似于“百步穿杨”的传说。

在东北一带，有一个非常有名的弓箭手叫纽翁锦，这个人名声在外，连努尔哈赤都听说过他的大名。有一次，努尔哈赤找到他，以一种崇拜的眼神看着他，希望他能“赐教赐教”。纽翁锦对自己的箭术非常自信，毕竟是行业中的“领军人物”。于是，他对着百步之外的一棵柳树，开始了才艺表演。不知道是不是看到努尔哈赤特别有压力，还是怎么回事，总之大失水准，射了五箭，只中三箭，而且射中的三箭落点也参差不齐，丝毫不像一个具有顶尖水平的职业选手。轮到努尔哈赤表演的时候，五矢连中，而且落点都聚集在一起。

看到努尔哈赤的精彩表演，纽翁锦嘴巴张开，呆了半天。

与李成梁的纠葛

接下来，努尔哈赤会遇到一个人，这个人就是辽东总兵李成梁。李成梁既是努尔哈赤的贵人，又差点儿要了努尔哈赤的命。我们先来说说李成梁这个人吧！

李成梁的祖先是朝鲜人，归附明朝后，迁居到今天的辽宁省铁岭市。李成梁是天生的将才，如果不是后期生活腐化，可以和戚继光齐名。李成梁早年生活穷困，四十岁才开始当兵。当兵之后，发达得非常快，因为他很会打仗，屡立战功。是金子总会发光的，李成梁凭借赫赫战功当上了辽东总兵，镇守辽东三十余年，在十次大战中十次取胜。

人功劳一大，难免会恃才傲物。李成梁也是这样，虽然前期英明神武，后来却没法控制自己腐化堕落。别人送来的金银财宝和美女照单全收。

努尔哈赤在山上打了三年的猎，手下功夫和刀剑功夫自是不用说。后来他觉得常年做一个猎人也不是办法，守着深山多寂寞，不如在外讨个活路吧！就这样，努尔哈赤参军了，投到李成梁的帐下。努尔哈赤当了三年的兵，收获非常大，这是从猎手到战士的华丽转身。战场上的经历给他积累了作战的经验。

荒唐的嘉靖皇帝

明朝的衰亡究竟从哪个皇帝开始，一直众说纷纭，但嘉靖皇帝毫无疑问是一个非常特别的皇帝，在葬送祖宗的社稷方面，他确实做得不赖。

嘉靖皇帝的荒唐事是说不完的，尽管如此，我们还得说说。如果没有嘉靖这么胡作非为，可能轮不到后来努尔哈赤出风头了。

嘉靖皇帝对治国毫无兴趣，对权力多少还有些兴趣。不过，他最大的兴趣是炼丹学道，第二兴趣就是虐待宫女。嘉靖皇帝听信方士的话，说修炼长生不老药需要加入处女的经血做引子。为了保障宫女们身体干净，嘉靖皇帝不但要求她们是处女，还不准她们吃饭（一吃饭就得排泄，不干不净的），必须像蚕一样吃桑叶、喝露水。

这种要求没几个宫女能受得了。不听话的话，嘉靖就凌辱，造成一批批宫女含恨而死。这些宫女实在受不了，决定铤而走险，赌一场，反正也是死。

嘉靖二十一年（1542 年）十月二十一日，以杨金英为首的十六个宫女偷偷溜进嘉靖的寝宫里，预谋杀掉皇帝。这批宫女虽然没有谋杀成功，但是开创了一项纪录，在中外历史上这是唯一一起宫女谋反的案例。但是这个代价付出得有点儿大，最后造反的十六名宫女不仅自己身首异处，而且家人受牵连，满门抄斩。

这里就有一个疑问了，皇帝在睡觉，杀了他还不容易？怎么这些宫女连这么容易的事情都办不好？十六个女人谋杀一个睡着的男人，真是人越多越忙。她们先用一根绳子套在嘉靖的脖子上，接着又找一块布蒙在嘉靖的脸上，其余人则按着嘉靖的身子。可能想让嘉靖窒息而死吧！结果，慌乱之中把绳套打了死结，收不紧。收不紧就无法让嘉靖呼吸困难、翻白眼，麻烦来了。

太监们、侍卫们火急火燎地冲了进来，把这些宫女全部拿下，一律处死。王宁嫔和曹端妃因为涉嫌这起谋杀案，虽找不出确凿的证据，也被秘密处死。

朝鲜有一本史书，叫《李朝中宗实录》，根据这本书的记载，嘉靖只要发现宫女有细小的错误，就不肯宽恕，一定要折磨个够；被折磨而死的宫女有两百多人，正是在这种积怨之下，宫女们才恶向胆边生，横了心改写历史。结果历史没有改写，反而搭上了许多如花似玉的性命，不能不说这是一种悲剧。

明朝与道教颇有渊源，从朱棣寻访张三丰到嘉靖废朝求长生，其间不乏沉溺道术的皇帝。嘉靖的父亲朱祐杬就崇尚道教，从小对道家耳濡目染的嘉靖对道教的兴趣非常浓。刚刚当上皇帝的时候，他碍于内阁首辅杨廷和的面子，不敢肆意妄为。虽然迷恋道教，但是有节有度，不至于过火。

二十五岁的时候，嘉靖还没有孩子，于是他极其虔诚地陷入道教崇拜中，希望太上老君能给自己一个儿子。为了表达自己的“虔诚”，他极力宠信道士邵元节，邵元节没有“辜负”他的期望，顺利地为他“求”得一个儿子。不幸的是，孩子出生不久就死去了。孩子虽然死了，但嘉靖相信道教是灵验的，可能自己的投入不够多。于是，他加大投资力度。不久，邵元节又为他“求”得一个儿子，嘉靖为了表示感谢，为邵元节建造了一座真人府。

邵元节在荣华富贵中死去，另一个道士陶仲文接替了他的位置。用处女经血修炼长生不老药的建议就是陶仲文提出来的，嘉靖对陶仲文的恩宠比起邵元节来有过之而无不及。他封陶仲文为“神宵保国弘烈宣教振法通真忠孝秉一真人”，后又给陶仲文加少保、礼部尚书等头衔，陶仲文的妻子获封一品诰命夫人，陶仲文的父母也得到封赠，一人得道，鸡犬升天。

如果说宠信道士还只是一种个人爱好的话，还算勉强说得过去；但是二十多年不上朝，将朝政全部交给奸臣严嵩那可是对老祖宗朱元璋极不负责了。一个费尽心力期望子孙江山能长治久安，一个不遗余力败坏江山社稷的根基，这个对比太鲜明了。

严嵩父子掌权之后，朝野上下一片乌烟瘴气，这父子俩贪污腐化到什么程度呢？看看严嵩的儿子严世蕃的话就明白了，严世蕃曾经夸口：“朝廷不如我富。”

朱元璋、朱棣等人苦心经营的明朝大厦到嘉靖头上只剩下一个空壳子了，加上北方蒙古兵屡屡进犯，山东一带倭寇猖獗，明帝国事实上随时都有崩塌的可能性。

当时的明帝国已经病入膏肓，各种绝症到了晚期，我们来看看那时的明帝国到底患了哪些绝症。

皇帝无道——皇帝作为大明朝的掌舵者，如果昏庸无道的话就会让百姓失去信心，觉得这个国家没希望，无道往往是亡国的征兆。

吏治腐败——官吏作为具体事务的管理者，与江山社稷和百姓福祉息息相关，明朝后期吏治腐化如同一堆烂肉，吏治的腐败将会直接导致农民造反和国家衰亡。

国库空虚——嘉靖皇帝奢侈无度，大兴土木，而官员们贪腐成风，没人管老百姓的死活。国库一天比一天空虚，国家没钱了，就意味着承受不起大的风险，随时面临着崩盘的危险。

农民起义——老百姓的日子没法过了，要想老百姓安安稳稳过日子，得让他们吃饱饭，但当时的明朝已经没有这个能力。

军队哗变——统治阶层腐败无能，自然会导致军心不稳。

边境告急——女真族等部落看到明朝这头巨大的骆驼正在慢慢地瘦死，当然准备找准机会割几刀。

自然灾害——越到乱世，灾害越多，正是“屋漏偏逢连夜雨，船迟又遇打头风”，各种旱灾、蝗灾、洪灾、地震轮番登场，大有不搞垮明朝不罢休的意思。

这些痼疾除了自然灾害之外，其他的都是人为，但是当时的明朝政府没有能力解决好其中的任何一个问题。所以，它的灭亡是注定的，只是这肥美的果实究竟花落谁家才是最大的悬念——对于我们这些后人来说就不是悬念了。

但在当时很少有人能预测到结局。李自成没能抓住这个机会，吴三桂也没有抓住这个机会，中原最终落入顺治的手中。

第三章　第一桶金

1583 年，努尔哈赤二十四岁，本命年。这一年，他的祖父和父亲被明军误杀。这事搁谁身上谁都会觉得是场灾难，然而努尔哈赤却从中看到了机会，英雄就是英雄。

一场灾难

要说这努尔哈赤活得也挺不容易的，小小年纪就失去了母爱，后来又被继母逼走，脱离家庭关系，赤手空拳打天下。

人生之路往往不是我们想怎么走就怎么走，而是被推着上路的，走哪条道，命运说了算。1583 年，努尔哈赤二十四岁，本命年。这一年，他的祖父和父亲被明军误杀。这事搁谁身上谁都会觉得是场灾难，然而努尔哈赤却从中看到了机会，英雄就是英雄。

我们先说说努尔哈赤的祖父和父亲是如何成为明军的刀下冤魂的吧！

大家知道建州女真的部落是相当多的，这些部落之间的关系错综复杂，加上和明朝的关系那就更是理不清了。但是对明朝来说，只有两种关系，即服从我的和反对我的。当时建州女真最大的一个部落是王杲部，王杲这人是有勇无谋之辈，仗着手下有两千人就开始嚣张。他打谁的主意不好，偏偏要打明朝这头庞然大物的主意。

王杲一挥手，兄弟们大张旗鼓地来到明朝边境，该抢的抢、该拿的拿，搞得边境鸡犬不宁，人人自危，家里有个漂亮媳妇的那更是整日提心吊胆。这种不法的行为当然让明朝政府无法忍受。

努尔哈赤的祖父觉昌安和王杲还是姻亲关系，觉昌安的女儿嫁给了王杲的儿子阿台，觉昌安的第四子也就是努尔哈赤的父亲塔克世娶了王杲的女儿。这种关系理论上是够铁的，觉昌安的智商如果跟王杲一样，肯定是坚定地站在自己的儿女亲家一边。

不过，觉昌安是个聪明人。之前跟王杲结为亲家也只是想在这片白山黑水混下去，看到王杲居然在老虎身上拔毛，他知道王杲这厮迟早会有灭顶之灾。眼下，最重要的事是和王杲划清界限，要让明朝相信，必须得有实际行动啊！

觉昌安决定为明军带路，来个大义灭亲。负责剿匪的还是辽东总兵李成梁，他虽然一把年纪了，但只要上面召唤，立马为领导效力，所以活了九十多岁，一生享尽荣华富贵。

1574年，在觉昌安的引路下，李成梁率领几万人的大军攻打王杲。这两人完全不是一个重量级的，还没过几手，王杲就落荒而逃。当然，王杲土匪出身，和正规军打仗不行，但是逃跑绝对有两下子的。李成梁追了他大半年，一直把他赶到海西女真哈达部酋长王台那里。王杲这人智商不高，也估摸着别人智商不高，这王台可不傻，你往我这儿跑，不是想害死我吗？危机危机，危与机的转化往往在一念之间，王台脑子好使，心想，你王杲想让我引火烧身，我就干脆借你这朵送上门的花献给明朝这个佛。

这么一想，啥问题都解决了，还捡了个大便宜。王台把王杲五花大绑，直接送到北京去了。王杲的下场是很惨的，磔刑。

王杲虽然死有余辜，但是王台也太不厚道了。不光把人家送上断头台，还将别人的妻子儿女据为己有，只有王杲的儿子阿台逃了出来。

逃出来后，阿台身负奇耻大辱，视王台和明朝为生平最大的敌人。阿台纠集了一批人马，在古勒寨经营老爹的营生，干着强盗勾当，时不时袭击李成梁的部队。李成梁被惹毛了，决定将阿台一网打尽。听到这个消息，觉昌安担心了，因为他的女儿嫁给了阿台。觉昌安决定带着塔克世去营救女儿，同时希望能说服阿台识时务，早点儿归顺大明。

就在觉昌安和塔克世还在做阿台的思想工作时，李成梁的大军已经打了进来。李成梁早就对阿台一头火了，现在打进来，还不杀个痛快。明军杀红了眼，觉昌安和塔克世以及女儿一同被杀。死得确实冤，这下努尔哈赤很不痛快了，是的，一下子死了爷爷、父亲和姑姑，不赔偿一笔损失搁谁谁也不干。

努尔哈赤找到明朝官员："你们赔还是不赔？"

明朝官员说："赔什么赔，我们又不是故意杀的。"

努尔哈赤急了："天理何在啊！我家祖先为大明鞠躬尽瘁，死而后已，到头来还被你们误杀，误杀之后连个安抚费都没有，苍天啊……"

明朝官员："好了，我这里有三十匹马、十三副铠甲，就当是给你的亲人损失费了。"

努尔哈赤问："就这么一点点……"

明朝官员："好小子，已经给足你面子了。再说了，你家人被误杀，全是尼堪外兰的错，不是他出这馊主意，我们怎么会随便伤及无辜了……"

尼堪外兰也是觉昌安一类的人物，都是女真族的，都竭力想讨好大明。尼堪外兰是图伦的城主，李成梁灭阿台的时候，他也想蹚蹚浑水。看到觉昌安父子也在其中，便唆使明军杀了他们。这是《大清满洲实录》的记载，杀死觉昌安父子的幕后真凶是谁很难说，只有一点可以确定，这父子俩确实在这场动乱中被杀。

“第一桶金”，发展壮大

明朝的领导者终觉有愧于努尔哈赤，给了他一个建州左卫指挥使的官职。努尔哈赤的发迹就是从这时开始的，有了人生的第一桶金，下一步就是“拓展业务”了。

怎么拓展业务？这是考验努尔哈赤智商和力量的时候了，柿子总要挑软的捏。努尔哈赤决定先对尼堪外兰动手。当然，打狗还要看主人，努尔哈赤至少从礼节上来讲要通知明朝官员：“尼堪外兰唆使明军杀害我祖父和父亲，把这个人交给我处置，这事就一了百了。”

明朝官员没好气地回道：“你这小子怎么就纠缠不清啊！已经告诉过你，你祖父和父亲是我们大兵误杀的。已经给了你好处了，你还不罢休。想闹事你找错了地方，如果你敢找尼堪外兰的麻烦，我们就不跟你客气了。”

努尔哈赤要找尼堪外兰的麻烦，明朝偏偏让尼堪外兰做建州诸卫的首领。这样一来，大家都知道了明朝老大哥的立场，纷纷倒向尼堪外兰。努尔哈赤陷入众叛亲离的境地，许多努尔哈赤家族的人都站在尼堪外兰一边，表示要杀掉努尔哈赤这个不成器的后代。

到了这地步，努尔哈赤不起兵也没办法了。此时，努尔哈赤果断地起兵了，当然他不敢把矛头对准明朝，而是对准了尼堪外兰。至于那些归顺尼堪外兰的都是墙头草，这一点努尔哈赤心里非常清楚。如果拿下尼堪外兰，对他们只有好处，没有坏处，所以他们乐得看努尔哈赤搞掉尼堪外兰。

根据《大清满洲实录》的记载，努尔哈赤在作出起兵决定之前，来回地摸着十三副铠甲，心想寒碜归寒碜，杀祖杀父之仇一定得报。在当时，努尔哈赤和尼堪外兰的势力没法比。努尔哈赤首先联系了对尼堪外兰恨得牙齿咯咯响的三个城主。为了让这些城主跟自己一条心，努尔哈赤不光跟他们称兄弟道哥们，还把自己的妹妹嫁给了其中一个城主。

1583年，也就是万历十一年。这一年的五月，努尔哈赤联合萨尔浒城主诺米纳，邀他一起攻打尼堪外兰的图伦城。诺米纳口头上答应了，心里却在想：努尔哈赤你搞篝火晚宴的时候从来没邀请我，一碰到流血的事情就找我，看我这回不好好让你失落一下。

努尔哈赤也是不幸的，刚"创业"就碰到这样的合作者。努尔哈赤的兵力还不到一百人，至于铠甲就只有十三副，当时的铠甲非常贵，否则努尔哈赤没有理由不打造一些铠甲，这样至少显得比较重视士兵的生命安全。

来到城下的时候，努尔哈赤对诺米纳挥手示意攻城，诺米纳点头。当努尔哈赤的士兵攻城的时候，诺米纳却带着自己的人掉转马头，开溜了。看到这一幕，努尔哈赤非常气愤："这样忽悠我，兄弟们，不靠这帮人了，我们自己干，冲啊！"

努尔哈赤虽然就这么一丁点儿兵，但这些兵个个跟他出生入死，个个是不要命的主儿。战场上就是这样的，越怕死，死得越快。尼堪外兰在城楼上看着这帮亡命之徒，一阵阵胆战心惊，这样下去不行啊，我们这边全是怕死的，努尔哈赤那小子那边全是豁出命的，照这样砍下去我全部的人马都要被他们砍翻。咋办呢？尼堪外兰毕竟是能屈能伸的大丈夫，立刻找到妻子儿女，带着家人马不停蹄地逃走了。

第一次唱主角就唱得这么精彩，努尔哈赤不愧是个好演员，没有辜负历史的舞台，没有让观众失望。现在大家看到了，尼堪外兰正在女真部落间狼狈地逃窜，而努尔哈赤开始树立起自己的威信。

努尔哈赤对各个酋长或城主说：“谁敢收留尼堪外兰这家伙，就是跟我努尔哈赤过不去。”

接下来三年的时间，努尔哈赤开始在东北和尼堪外兰玩起了“二人转”，就是你追我、我追你的意思，同是男人，哪有追这么久的。努尔哈赤当然没耐心追尼堪外兰三年了，表面上努尔哈赤是追尼堪外兰，但是追着追着不知不觉就吞并了许多女真部落。尼堪外兰也搞不懂，自己为什么运气这么好，老是险些被抓住，但就是没被抓住，自己一逃走，马上就有一个部落被努尔哈赤兼并，搞到后来没人敢收留自己了。

第四章　由弱到强的成长之路

这一切只是一个开始。努尔哈赤是一只雄鹰，注定要搏击长空。大明帝国的天空飘来一朵乌云，这朵乌云的名字就叫努尔哈赤。

女真族

我们先来说说女真族吧！

女真先民是周秦时的肃慎，而发展到汉魏时，肃慎称挹娄，南北朝时改称勿吉。北魏时，勿吉有七部：曰粟末部，曰伯咄部，曰安车骨部，曰拂涅部，曰号室部，曰黑水部，曰白山部。七部中，以粟末、黑水为最强。而女真便是黑水靺鞨的后裔。黑水靺鞨东临大海，南接高丽，亦依附于高丽。

唐玄宗开元年间（713—741），黑水靺鞨曾遣人向唐朝朝贡，唐于其地设置了黑水府，以部落长为都督、刺史，置长史监之，并赐其都督为李姓，名献诚。当时该府所辖的勃力州址即在黑龙江与乌苏里江汇合处的伯力(今俄罗斯境内的哈巴罗夫斯克)。后粟末靺鞨所建立的渤海国势力渐强，黑水靺鞨役属之。五代十国时期，女真成为其族名。后唐天成元年（926），契丹族首领耶律阿保机灭渤海国，女真又臣服于新建的辽朝。为了便于控制，辽将女真的豪族大姓数千家迁往今辽阳一带，并将其编入辽的户籍，设立州县，委派官吏进行管理，称之为熟女真。在今开原以北的，不入辽籍，由本部首领统辖，称之为生女真。

女真人最辉煌的时代莫过于完颜阿骨打建立的金国，如果机会再好一些的话，金国可能就是当时的统治者了。可惜出了一个成吉思汗，把女真人的梦想活生生地给粉碎了。元朝时，蒙古人实行的政策，将女真族分化开来。

朱元璋建立大明后，实行怀柔的民族政策，女真族迎来了一个兴旺发展的时期。明朝的女真分成三大类：建州女真、海西女真、野人女真。

建州女真因为明朝设置建州卫而得名，这批女真部落以前大多是居住在松花江下游，后来又迁徙到绥芬河下游以及图们江和珲春江流域。永乐末年，他们又陆续迁徙到浑河上流的支流苏子河一带，也就是今天的辽宁省新宾县和桓仁县。

海西女真是居住在松花江流域及黑龙江中下游的女真部落。

野人女真是明人对建州女真、海西女真以外众多散居女真人的泛称。

生活在这个大动荡时代，努尔哈赤似乎注定担负着某种使命。努尔哈赤似乎感受到命运的召唤，很早的时候就定下了宏伟的蓝图：第一步，征服建州女真；第二步，征服海西女真；第三步，征服野人女真。当时，努尔哈赤并没有把明朝纳入自己的宏图大业，因为这个目标对当时的努尔哈赤来说太遥远了。

努尔哈赤的战略还是不错的。他的第一个目标是苏克素护河部，他所以首选这个地方，因为这个地方就是自己家族聚居的地方。

苏克素护河部萨尔浒城城主诺米纳以前忽悠过努尔哈赤一次，1583年秋天，诺米纳又来招惹努尔哈赤，口气强硬地说："浑河部的杭甲和扎库木两个部落，你不可以骚扰；东佳城和巴尔达两个城，是我的仇敌，你可以去灭了他们，不过得到的土地全部归我。否则，你的军队休想经过我的边境。"

努尔哈赤是何等人，能够忍受这种耻辱吗？努尔哈赤大骂一声："诺米纳，嚣张得跟什么似的，老子就先收拾你！"

努尔哈赤虽然有脾气，但也不是一个莽夫。和部下商议之后，决定智取诺米纳。努尔哈赤假意和诺米纳约定，共同进攻巴尔达城。两军来到巴尔达城下的时候，努尔哈赤让诺米纳先进攻，诺米纳不傻，自然不会答应。努尔哈赤心想，这家伙毕竟在道上混过这么多年，不中招。努尔哈赤便带着手下，假意过去和他商量，对他说，既然你们不愿先进攻，那我们就先上吧，不过我们的武器不够用，能不能把武器借给我们。诺米纳本来是个挺精明的人，这时居然相信了努尔哈赤，可见努尔哈赤演戏的功夫也不赖。

努尔哈赤拿到武器之后，马上一挥手，士兵们冲上去，毫不留情地开始了一场大屠杀。诺米纳和他的士兵被杀得一个不留（遂将诺米纳、奈喀达及其兵，尽诛之）。随后，努尔哈赤迅速地拿下了萨尔浒城。此时，努尔哈赤的表现说明了他不仅有军事家的能力，还有政治家的眼光，但是手段过于阴狠。对于那些投降的士兵，努尔哈赤采取了宽大的政策。对于逃跑回来的散兵，努尔哈赤归还了他们的妻儿，让他们继续留在萨尔浒城定居，并表示支援他们修葺城池。前提当然是，从今以后服从我努尔哈赤的领导。

通往强盛之路

努尔哈赤的第二个目标是董鄂部，董鄂部在苏克素护河部东边。万历十二年（1584 年）九月，努尔哈赤开始打董鄂部的主意了。这努尔哈赤是个有眼光的人，他之所以这时候把目光锁定在董鄂部翁鄂洛城身上，是因为恰逢对手正发生内乱。

说实话，努尔哈赤这时候还比较寒碜，他带着五百士兵征讨董鄂部的阿海巴颜。阿海巴颜有四百兵力，坚守城池不出。敌人不出来，是不是仗就没得打？当然不是，努尔哈赤想到了火攻。当时女真族的城池跟大明的城池没法比，大明的城池都是用坚固的巨石做成，火攻的话在上面烤烤石鱼还行，要想烧毁对方城楼不太现实。

但是女真族的建筑就不一样了，城池小不说，还有许多木材。这大火一烧，很快就蔓延到城楼上，还烧到了民房。眼看这城池马上就要破了，偏偏老天好像故意要跟努尔哈赤作对，忽然下起了大雪，扑灭了大火。到了这个节骨眼上，任谁心情都会焦躁，但努尔哈赤不同于常人，他很冷静。

努尔哈赤对大伙儿说："都下雪了，大家还是回家跟老婆孩子吃饭吧！留下二十个兄弟在这里陪我。"

城内的人以为敌军撤退了，有几个人走出来看看情况。不料努尔哈赤带着伏兵跳了出来，杀死了四个人，获得两副铠甲。好歹是捞到一点点便宜了，努尔哈赤心里好受了一些，要知道，努尔哈赤最开始做的是小本生意，能赚一点是一点。

回家的路上，正好路过翁鄂洛城，努尔哈赤今天没赚到什么外快，心情很不爽，决定再做一单生意。翁鄂洛人见努尔哈赤这匹狼来了，赶紧躲进城里，猎枪都准备好了。努尔哈赤还是老一套，先纵火烧城。借着浓烟，努尔哈赤带着兄弟们爬上一个屋顶，对着城楼上的敌军一阵乱射。城楼上的士兵也对着努尔哈赤这边射来一阵阵箭雨。城内一个叫鄂尔果尼的将领一箭射中了努尔哈赤的头部，射穿头盔，深入指许。

努尔哈赤是一个非常勇猛的人，他拔出箭头，躲在烟囱后面继续射敌人。他激情又无畏的作战风格感染了手下，大家看老大都这么不怕死，谁也不想做缩头乌龟。后来，对方的神箭手罗科一箭射中了努尔哈赤的脖子。这时，努尔哈赤再也挺不住了，一手捂着脖子，一手拄着弓从屋顶上下来。下来之后，就晕倒了。大家只好扶着老大回去，战事暂告一个段落。回去之后，努尔哈赤几度昏迷又苏醒。闹腾了一昼夜，血还止不住。到第二天，努尔哈赤又站了起来，带兵再次攻打翁鄂洛城。这次，一举拿下了该城，鄂尔果尼和罗科都成了俘虏。大臣们强烈建议杀掉这两人，因为这两人差点儿要了努尔哈赤的命。

努尔哈赤却说："两军交战，都是为了取胜。他们射我只是各为其主，现在为我所用，自然是为我射敌人。这么勇敢犀利的战士，即使是死于战争中都让人觉得可惜，我又怎么会因为射我两箭而杀他们呢？"

努尔哈赤不但没有杀他们，反而擢升他们为牛录额真，每人统领三百人。努尔哈赤此举不仅赢得了两位将领的忠心，也赢得了属下的尊重，这样一个宽仁大度的领导打着灯笼都难找啊！不跟努尔哈赤又跟谁呢？相信大家心里都会这么想。

更难得的是，这时候努尔哈赤才二十五岁，就能有如此风范，让人不得不佩服。

努尔哈赤第三个目标是哲陈部。公元 1585 年，也就是万历十三年，二月份，努尔哈赤带领二十五个披甲之士、五十个没有铠甲的士兵，就这么七十来个人去征讨哲陈部。

哲陈部的凡寨早就听到了风声，弓箭和猎枪都准备好了。努尔哈赤看讨不到什么便宜，便空手而归。这么看来，努尔哈赤更像是去打劫的，确实如此，他已经非常习惯偷袭这门战术了。

这次偷袭失败，结果萨尔浒、界凡、东佳、巴尔达四城的城主带着四百骑兵追了过来，跟着哲陈部的讷申、巴穆尼也疾驰而至。努尔哈赤看到追兵来了，回头将讷申斩于马下，又将巴穆尼射死。追兵们看努尔哈赤瞬间杀死了两名大将，一时之间面面相觑，不敢上去。

接着努尔哈赤又让七个人埋伏在草丛里，故意把铠甲露出来。追兵们小心翼翼地向前，看到铠甲，说道："你设了埋伏，别以为我们不知道。"追兵们怕中埋伏，喊叫着撤退。

努尔哈赤就这样从容地退走，没有损失一名骑兵。

四月，努尔哈赤率领五百人的军队，正式讨伐哲陈部。不巧的是，路上遇到大水，努尔哈赤只好命令大部队折返，带了三十铁甲兵、五十棉甲兵，继续前进。不想，有人把这个消息偷偷地告诉了哲陈部，于是那边的城主们拧成一根绳，召集所有的兵，准备从后面打努尔哈赤一个措手不及。

其实，努尔哈赤已经在后方留下探子。在作战方面，努尔哈赤还是非常谨慎的。努尔哈赤安排的探子名叫古德章京，应该说古德章京这个人办事还是可以的，他确实探到敌军的行踪。可惜古德章京骑马准备去找努尔哈赤的时候，走到了另一条路上，没有发现努尔哈赤。这是可以理解的，因为战场上瞬息万变，当时又没有手机和定位系统。

努尔哈赤深入敌人腹地后，忽然看到界凡之浑河和南山之间站着密密麻麻的一群人，大概有八百人的样子。这时，努尔哈赤队伍里有一对兄弟看到敌人这阵势，当即就吓破了胆，脱下铠甲，给别人："哥们，这个艰巨的任务交给你了。"

这兄弟俩叫扎亲和桑右里，努尔哈赤当然生气了，对哥俩发怒："你们这两兄弟平时在乡里横行霸道，现在看到敌人多，你们就吓破了胆，还把铠甲给别人，丢不丢人啊？"

说完，努尔哈赤自己举起大旗，走到队伍最前面，对众将士（其实也就几十人）训话："打仗这东西靠的是士气和勇气，只要我们不怕死，敌人就是纸老虎。不相信的话，我可以给大家演示一下。"

说完，努尔哈赤骑马，冲在最前面，结果冲到离敌人不远的地方，马被射成了刺猬。努尔哈赤滚了下来，这一来，部下全都后退。努尔哈赤看了很生气，亲自带着弟弟穆尔哈齐和近侍颜不禄与兀凌噶冲了上去，最终四个人打败了敌人八百人。

关于这场战役，史书上讲得不是很详细，所以其真实性是存疑的。史书上说努尔哈赤带着这三人，拼命往前冲，给人感觉就像找死，也许正因为这看似自杀的行动让敌人感到害怕。努尔哈赤等人边跑边射，等靠近敌人后又挥刀猛砍，居然打乱了敌人的阵脚，敌人纷纷后撤。后面的敌人以为遇到努尔哈赤的重兵，这么一来引起了连锁反应，结果造成了四人胜八百人的奇迹。

虽然四人打败八百人看起来不可能，但考虑到战场上心理战术的重要作用，还是有可能的。努尔哈赤砍杀了前面一群人，后面那些人不明所以，撒腿就跑完全是有可能的。

努尔哈赤的领导地位就是通过这些零星的战役建立起来的，没有谁从一开始就是一个天生的领导者，扎亲和桑右里的表现就说明努尔哈赤的领导权面临着一场危机。为了化解这场危机，努尔哈赤几乎是豁出性命。这是努尔哈赤善于领导的一个表现，他没有像别的领导那样处死这两兄弟，而是通过证明自己的实力让大家心服口服。

领导权确立了，征战就容易得多，你发出命令，大家愿意执行。大大小小的仗打了两年，万历十五年（1587 年）六月，哲陈部首领阿尔泰占山称王。听到这个消息，努尔哈赤非常恼火，心想我南征北战这么多年都没称王，你居然敢称王。于是，努尔哈赤率军攻打阿尔泰，没有什么悬念，阿尔泰兵败，被俘后斩首。

两个月后，努尔哈赤征讨巴尔达城。这一战，努尔哈赤再次发挥龙虎精神，身受五十多处创伤，仍然死战不退，一举击溃城内守军，占领了该城。至此，哲陈部从建州女真中消失了，而努尔哈赤的名字却越来越响亮。

接下来，努尔哈赤要打的是浑河部。浑河部最主要的城池是鹅尔浑城，此城的城主恰好就是努尔哈赤的仇人尼堪外兰，努尔哈赤之所以一直迟迟不收拾尼堪外兰是有原因的。尼堪外兰在建州女真中势力最庞大，跟明朝的关系也最亲近，灭掉尼堪外兰的难度非常大，不如先翦除一些跟尼堪外兰有关系的小部落，等自己势力壮大了再来打掉尼堪外兰。到时自己势力壮大，杀了尼堪外兰，明朝也只能睁一只眼闭一只眼。

努尔哈赤得到消息，尼堪外兰在鹅尔浑城，努尔哈赤对着部下大手一挥：“大家一定要排除万难，打掉尼堪外兰这头老虎。”据说，当时尼堪外兰正好有事外出，努尔哈赤虽然把城池攻下来，但没有发现尼堪外兰。就在努尔哈赤为找不到仇敌焦急的时候，忽然看到难民队伍里有四十个形迹可疑的人，努尔哈赤怀疑尼堪外兰可能混在其中，一时之间很激动，冲了过来，欲揪出尼堪外兰。结果，四十支箭朝努尔哈赤整齐地射来，努尔哈赤多处受伤。不过他依然很猛，连杀九人才退回城里。

这事让努尔哈赤心里有些不平静，回到城里后，斩杀了十九个人，还抓获了六个受箭伤的汉人，本来这六人身上的箭头已经取出来，努尔哈赤把箭头重新安在这六人身上，让他们回明朝传达自己的意思：把尼堪外兰抓住，交给我，否则，你们知道的……

这时候的尼堪外兰就像一块干瘪的橙子，利用价值几乎被明朝榨取干净。权衡利弊后，明朝给了努尔哈赤一个答复：“好，我满足你的要求，尼堪外兰已经在我们这里。但我们不方便把他送给你们，你们还是自己派人来杀死他吧！”

努尔哈赤这人警惕性非常高，于是对明使说：“你们不会是耍我吧？”

明使回道：“我们大明是堂堂的大国，怎么可能会耍你呢？你要是不相信，可以派你的士兵过来，不必亲来。”

努尔哈赤心想，这还差不多。努尔哈赤派斋萨率四十人过去，尼堪外兰听说明朝让努尔哈赤过来捉他，吓得想逃跑。可惜，明朝这个过河拆桥的好手不给他机会，尼堪外兰就这么成了瓮中鳖。斋萨割下尼堪外兰的脑袋后，也没跟明朝说声“谢谢”，反而恶狠狠地对明朝边将说：“从今以后，每年要给我们的努尔哈赤大爷孝敬八百两纹银、十五匹锦缎。”

明朝边将愤怒地问：“我们凭啥要给你们银子和锦缎？”

斋萨面无表情地说：“和谐，为了大家以后的和谐。”

努尔哈赤第五个目标是完颜部，据说在进攻完颜部的当晚，有流星划过，努尔哈赤说这是克敌的征兆，大家精神抖擞，攻下完颜城，斩杀城主墨尔根。

万历十六年（1588年），努尔哈赤统一了建州女真的主要部落。历经五年的时间，努尔哈赤终于从一个小打小闹的角色变得有一定实力和影响力。这个过程是艰辛的，也是令人振奋的。

然而，这一切只是一个开始。努尔哈赤是一只雄鹰，注定要搏击长空。大明帝国的天空飘来一朵乌云，这朵乌云的名字就叫努尔哈赤。

第五章　猛如虎，警惕如鼠

帝王之术是一门非常精深的学问，但不外乎两个词语：霸道和王道，用通俗的话来说就是恩威并施。一个帝王如果能平衡霸道和王道之间的关系，在历史上就算是一个明君了。

暗杀努尔哈赤的刺客们

一个成就非凡事业的人一定有非凡的地方，努尔哈赤确实是一个了不起的人物，这一点我们不能不服。一个帝王光会打仗肯定是不够的，还得掌握帝王之术。那有人肯定要问了，是不是掌握了帝王之术就可以当皇帝呢？

当然不是，当上皇帝是无数因素综合的结果，而帝王之术则是最基本的条件。帝王之术是一门非常精深的学问，但不外乎两个词语：霸道和王道，用通俗的话来说就是恩威并施。一个帝王如果能平衡霸道和王道之间的关系，在历史上就算是一个明君了。

努尔哈赤对霸道和王道的理解非常透彻，我们可以从针对他的几次暗杀中看出端倪。

第一次暗杀发生在万历十一年（1583 年）九月的某个晚上，这时候努尔哈赤刚刚创业，势力还很小。但是许多部落发现他志气不小，都想暗杀他。

这天晚上，夜色阴晦。一个刺客偷偷溜到努尔哈赤宅院的栅栏前，可能是动静太大了，惊动了努尔哈赤的看家狗古哈。古哈对着刺客狂吠，努尔哈赤在房子里一听，惊觉而起，让长女和两个儿子躲避，自己操起马刀，并对门外大声喝道："外面到底是谁？既然来了，为何又不进来？你如果不进来，我就要出去了。你想试试我刀子有多锋利吗？"

努尔哈赤说完，就用刀柄击打窗棂，又用脚踹窗户，做出要从窗子里冲出去的样子。刺客手握刀子，眼睛紧紧盯着窗户。没想到努尔哈赤并没有从窗户里冲出去，而是从门里面出来了。刺客看到努尔哈赤时大惊，落荒而逃。努尔哈赤来到院子外面，看到自己的侍卫帕海已经横尸地上。

努尔哈赤巧妙地利用声东击西的策略破解了这次暗杀。这一事件再次证明了他是一个有勇有谋型的领导。

在第二次暗杀中，努尔哈赤的表现就更有意思了。那一天是万历十二年（1584 年）四月初一，夜深人静之时，努尔哈赤正在炕上打盹，忽然被门外的响声惊醒。努尔哈赤当即警惕起来，操起身边的大刀，悄悄打开门走了出去。借着朦胧的月光，他看见前面有一个人影，手里拿着闪闪发亮的匕首，贴着墙根，正挨着窗户看什么。努尔哈赤走到那人背后，一拳打在他的后脑勺上，那人应声倒地。

接着，努尔哈赤放开喉咙大喊："来人呐，抓贼啊！"

顿时，乱成一片，狗叫声，女人孩子的哭声。侍卫们来到努尔哈赤跟前，看这人手中拿着匕首，说道："大哥，这家伙看上去不像贼啊，估计是敌人派来的刺客……"

努尔哈赤呵斥说："难道我比你傻啊！刺客啥派头我还看不出来，这家伙的脸上分明写着'偷牛贼'三个字。"

侍卫还想争辩，努尔哈赤阻止了他，命人将这刺客拿下，厉声呵斥："坦白从宽，抗拒从严，你跟我老实交代，半夜三更的，你在这里鬼鬼祟祟的，是不是想偷我家的牛？"

"这……"刺客支支吾吾，努尔哈赤更加凶狠地问道："不招是吧？好，来人呐，给他大刑伺候。"

刺客不懂努尔哈赤到底玩什么把戏，他自己都觉得行刺的动机这么明显，怎么努尔哈赤就看不出来，干脆就着台阶下，说："我招，我招，我家里比较穷，看到你们的牛特别肥，一时思想动摇，想顺手牵几头牛补贴家用。"

努尔哈赤得意地对侍卫们说："我说这家伙贼头贼脑的样子肯定是个偷牛贼，没错吧！"

侍卫们心里很不爽，不懂为什么这么明显的事情努尔哈赤就看不出来，平白地便宜了这个刺客。一个侍卫提醒努尔哈赤："老大，这人真不是个偷牛贼，他分明是想……"

努尔哈赤狠狠地瞪了这个侍卫一眼，说："我说话你当耳边风啊，别搅和，看我怎么教训这个偷牛贼。"

努尔哈赤指着刺客的鼻子说："小伙子，你说你年纪轻轻，好手好脚，干点儿啥不好？偏要干这种偷鸡摸狗的勾当，天下没有免费的午餐。长年偷鸡摸狗，哪有不被人抓住的时候？趁着现在还年轻，早点儿金盆洗手，老老实实找个稳定的工作吧！"

刺客被努尔哈赤教育得云里雾里，莫名其妙地一顿点头："大哥，你说得太对了，我长到现在，还没有人对我这么掏心掏肺。大哥，我答应你，以后一定老老实实做人。"

努尔哈赤捋着胡须，笑眯眯地说："这就好，这就好，年轻人只要浪子回头，那是黄金也换不来的。我这里有一些碎银子，你拿回去补贴点儿家用，以后千万别干这勾当。"

刺客拿起银子，脚底抹油，一会儿就跑得不见踪影。

刺客走后，侍卫们不解地问："老大，这人真是一个刺客，你怎么说他是偷牛贼，还把他放走呢？"

努尔哈赤淡淡地笑道："你们真当我傻啊，我第一眼就知道他是一个刺客。"

侍卫们更糊涂了："那老大你还放走他？"

努尔哈赤哈哈大笑："你们说说看，我们现在的势力有多大，能不能称霸建州女真各族？"

侍卫们也不隐瞒，说道："离称霸建州还有十万八千里呢，咱们就这么点人，这么点装备，随便来几百人就可以灭掉我们。”

努尔哈赤说：“这不就结了，我们实力现在这么单薄，所以应该少树敌。现在最要紧的是韬光养晦，不要跟其他部落结仇。这就是为什么刚才我硬说那家伙是偷牛贼的缘故，如果说他是刺客的话，那就等于跟他的部落撕破脸，意味着跟对方摊牌，以后想要修好就不会有机会了。你们要记住，在这个险象环生、充满危险的乱世中，凡事不要说破，只要不说破，就有回旋的余地……”

努尔哈赤这么一说，大家心服口服。这是努尔哈赤的智慧之一：处理事情拿捏得恰到好处，永远留有余地。在弱小的时候，努尔哈赤懂得自我保存之道；当势力庞大的时候，他又懂得吞灭他人的道理。像这么精明的领导，不成功似乎都难。

第三次暗杀发生在万历十二年（1584 年）五月的一天晚上，这次暗杀跟上一次还不太一样，这一次不光有外敌，还有内贼。

根据《清太祖高皇帝实录》的记载，努尔哈赤准备睡觉之前，忽然发现一个婢女还不睡觉，而是坐在灶旁，把灶里的火弄得忽明忽暗。努尔哈赤感觉不对劲儿后，穿上短甲，佩上弓箭，假装上厕所。

在上厕所的时候，努尔哈赤把箭搭在弦上。一边眼睛紧盯着篱笆门，一边故意发出上厕所的声音。忽然，只见门外一个黑影靠近。只听“嗖”的一声，一箭射穿篱笆，接着传来一声惨叫。努尔哈赤急忙提着裤子出门，那人还想跑，努尔哈赤追上去，又补了一箭，射穿了那人的脚踝。

努尔哈赤上前逮住那个人，这时努尔哈赤的两个弟弟也赶过来。质问之下，才知道这个刺客名叫伊素，跟努尔哈赤一个婢女以暗号勾结，图谋刺杀努尔哈赤。

努尔哈赤的两个弟弟舒尔哈齐和雅尔哈齐都主张杀掉这个人。

努尔哈赤却下了一道让人无语的命令："放了他。"

"为啥呢？"两个弟弟问，"这人可是要杀你的。"

努尔哈赤说道："他要杀我，难道我就一定得杀他吗？"

两个弟弟同时表示无语，努尔哈赤打发走那刺客后，就开始教育两个弟弟："今天你杀他，明天他杀你，冤冤相报何时了。如果我们杀了他，你们说他的家人和部落能甘心吗？到时候他们要报仇，我们人本来就少，一打群架就越来越少了。所以说呢，得饶人处且饶人，明白吗？"

两个弟弟还是不服："照你这么说，那以后大家放下屠刀，从此不要战争就好了。可是现在，到处都在打仗，大哥你也在招兵买马。"

努尔哈赤接着说："这你们就不懂了，在战场上不存在私仇。而且打仗时一杀杀一大群人，一旦你打败了对方，就是征服了对方整个部落，所以不用担心他们会报仇。而且战争是非常残忍的，一旦打败了对方，就会从心理上摧毁敌人的反抗意志。但杀一个人就不是这样，杀一个人很容易激起他们家族的仇恨。最好的方式是放他走，这样即使他不感恩，也不会再度加害于我们。你们觉得我说得有道理吗？”

两个弟弟鼓掌：“大哥说得实在有道理，跟着大哥，跟到老学到老。”

这也是努尔哈赤帝王之术的一个精髓：可以成批成批地杀死敌人，但不要随便得罪人，这样可以让自己看上去更仁慈、更人性，同时又雄才大略。聪明的帝王绝不会给人这样的感觉：我是个嗜杀的主。他会告诉人们：我本性仁慈，杀人是不得已的事。

硬 汉

崛起之后，努尔哈赤想建立一个都城。万历十五年（1587年），努尔哈赤准备建造费阿拉城。在呼兰哈达山下有一个平原，努尔哈赤把都城的地址选在这里。宫城建好之后，努尔哈赤在这里称王。

称王之后，努尔哈赤的发展非常快。1593年，努尔哈赤灭掉建州女真附近的长白山三个部落。至此，用了十年的时间，混乱无序的建州女真成为努尔哈赤的领地。写到这里，首先对努尔哈赤的勇敢表示佩服，努尔哈赤屡次身陷险境，却淡定从容，一般人真做不到。其次要对努尔哈赤的智慧表示钦佩。努尔哈赤势力壮大之后，明朝政府不得不对其进行笼络，授予他建州都督佥事，等于承认他是建州女真的老大。

但努尔哈赤的胃口很大，很快就对海西女真垂涎欲滴。海西女真的地盘在松花江一带，他们有四个强大的部落：叶赫、哈达、辉发和乌拉。这四个部落又称为扈伦四部，其中最强大的两个部落是叶赫和哈达。

还别说，当努尔哈赤贪婪盯着海西女真的时候，海西女真也警惕地打量着努尔哈赤，这家伙怎么突然之间就把建州女真都兼并了，他会不会打我家的主意?

叶赫是海西女真最强大的一个部落，首领纳林布禄和布寨两兄弟受努尔哈赤的启发，也迈开了轰轰烈烈的统一步伐。他们一方面稳住努尔哈赤，一方面对哈达部落展开了攻势。对努尔哈赤，他们首先采取的是和亲政策，纳林布禄打算把自己十四岁的妹妹嫁给努尔哈赤。但努尔哈赤不为所动，依然虎视眈眈，和亲政策失败，纳林布禄便没把妹妹嫁给努尔哈赤。

纳林布禄看努尔哈赤不好打发，决定先下手为强，便想威胁努尔哈赤，让他给叶赫部一块领土。努尔哈赤把纳林布禄的使者轰了回去，纳林布禄心想，努尔哈赤还真不是吓大的，便决定集合其他部落一起给努尔哈赤施压。

叶赫、哈达、辉发三个部落都派出使者，大摇大摆地来到努尔哈赤的都城费阿拉城。努尔哈赤先礼后兵，人家来了，总不能让人饿肚子吧！酒桌上，这些使者吃饱喝足之后，纳林布禄的使者首先狮子开口："我的老大有一句话让我带给你，我很想告诉你，但是又怕伤了和气……"

努尔哈赤打断他："有话快说，你不过是个传话人，我不会对你怎么样的。"

"明人不说暗话，我老大说，你的土地多得用不完，老大想要一块地开发开发。如果你不答应的话，老实说，我老大很没耐性的。"

听到这种话，努尔哈赤大怒，当即拔刀，把饭桌劈成两半，大骂道："我还没欺负你们，你们倒欺负到我家里来了。你们叶赫部的这些胡须没长毛的首领，哪个在前线冲锋陷阵过？想威胁我是吧，放马过来！"

努尔哈赤一发威，使者们当场哑口无声，灰头土脸地跑回去，阐明原委后，海西女真几个部落都很不爽，这努尔哈赤太嚣张了，完全不把我们海西女真放在眼里。必须给他一点颜色看看。大伙儿一商议，决定先下手为强。

万历二十一年（1593年）六月，海西女真四部派了一支军队在长白山下打劫，没料到努尔哈赤早有准备，猛然杀了出来。海西女真偷鸡不成蚀把米，狼狈逃回。

纳林布禄在心里暗骂："努尔哈赤，迟早我会好好收拾你的，走着瞧吧！"

第六章　征服海西各部

努尔哈赤给两个儿子上了一堂政治军事课："打仗是不能这么浮躁的，你们这么急切地渡河，就算胜利，也会付出很大的代价。打仗就像砍伐一棵大树，哪能一斧头劈倒一棵大树？必须要先砍掉它的枝叶，然后再砍掉大树枝，最后才是砍倒主干。先从软的地方下手，这样由弱到强，就能灭掉对方。攻打一个国家也是这样，绝不可以一蹴而就。"

古勒山大战

万历二十一年九月，也就是公元 1593 年，纳林布禄发飙了，他纠集了九个部落的力量，组成一支三万人的联军，兵分三路，向建州的古勒山进发。

前面我们写到努尔哈赤打仗时经常是几十人上场，多的时候也不过几百人。所以，看到三万人，我们就知道是什么概念了。这次，努尔哈赤还能保持常胜不败的纪录吗？

敌人虽然数量庞大，但努尔哈赤并没有惊慌，充分体现出一个卓越将领的素质。听到九部联军进犯的消息，努尔哈赤先让心腹兀里堪去刺探军情。兀里堪很好地完成任务，这下努尔哈赤对敌军心里有数了，接着努尔哈赤开始部署自己的军队，然后躺在床上呼呼大睡。他的妃子富察氏看到努尔哈赤在大敌当前居然还睡觉，连忙叫醒他：“都什么时候了，你还埋头睡觉，九个部落的大兵已经打来了，难道你不怕吗？”

努尔哈赤淡淡地说：“我如果怕的话，就算躺下来也睡不着啊！有什么好怕的，敌人来都来了，自然要好好招待一下他们，他就是纠集九百个部落的兵，我一样睡我的大觉。”

努尔哈赤如此从容的表现显然对士兵们是一剂安神药。开战之前，努尔哈赤郑重其事地拜神祭天，说道：“皇天啊皇天，后土啊后土，天上所有的神仙，你们都看到了。我努尔哈赤是个老实本分的人，和海西女真这帮强盗无冤无仇。现在他们无故前来挑衅我，真是伤天害理啊！老天，保佑我们歼灭这些侵略者吧！”

在开战之前，敌军中有一个人过来投降，这个人来历不明，投降的可能性不是很大，因为努尔哈赤的兵力处于劣势。很有可能这是努尔哈赤的安排，这个投降的人详细地说了敌军的情况。努尔哈赤立刻当众分析道：“敌人的兵力来自九个部落，军心不齐，战斗力不强，我们只要仗着地势，一定能守住。如果他们想强攻，我们就送他们一程。胜利一定是属于我们的。”

努尔哈赤说得没错，我们来看看他是如何打赢这场战争的吧！

第一天，叶赫部进攻黑济格城，没有攻下。第二天又攻城，努尔哈赤亲自带兵据险而守。敌军攻不下来，努尔哈赤派遣一百人出战，叶赫部赶紧停止攻城，前来迎击，不敌，九人被杀。接着，叶赫首领又率众攻城，布寨因为冲在前面，被努尔哈赤部下一个叫吴谈的人杀掉。纳林布禄见兄弟被杀，悲伤异常，其他人都感到恐惧，几个贝勒逃跑，这样一来，阵形崩溃。努尔哈赤下令部队出击。

这一战，努尔哈赤大获全胜，杀敌四千，缴获战马三千匹、铠甲一千副。纳林布禄是个非常重感情的人，兄弟被杀之后，他当时就悲痛得昏倒在地。

叶赫部让努尔哈赤归还布寨的尸体，努尔哈赤却把布寨的尸体割一半还给了他们。这一举措毫无疑问让彼此的仇怨更深。

这一战震惊了东北这片白山黑水，而海西女真因为这一战元气大伤。从此以后，谁都知道努尔哈赤是一个可怕的角色，这无疑为他后来进一步军事行动奠定了基础。

哈达与辉发

努尔哈赤决定先从哈达部下手。哈达部居住在哈达河一带，治所是哈达河北岸的哈达城。

哈达的酋长姓那拉氏，名万。因为万和王音相近，明朝人便称他为王台。王台死后，第五子孟格布禄继承父亲的爵位，出任龙虎将军，为左都督。

没有永远的敌人，也没有永远的朋友，只有永远的利益。哈达部曾经和叶赫部联合攻打努尔哈赤，但是到了万历二十七年（1599 年），这对盟友却变成了仇敌。叶赫部打算统一海西女真，率兵攻打哈达部。哈达首领孟格布禄打不过，便派人向努尔哈赤求救，还把自己的三个儿子送到建州当人质，目的只有一个：希望其能快点发兵相助。

其实，孟格布禄没必要催，努尔哈赤巴不得早点儿发兵过去呢！刚开始的时候，努尔哈赤是想打过去，现在可以以拯救者的姿态领兵过去，既遂了愿，又做了一回好人，何乐而不为！

哈达地处建州的咽喉要道，只要占领哈达，就可以把建州的疆域向外推进两百多里。孟格布禄请求努尔哈赤出兵，估计努尔哈赤心里乐开了花。孟格布禄引虎驱狼，不管怎么说，他没有太多选择，不是被老虎吃掉，就是被狼吃掉。

努尔哈赤立即派遣费英东、噶盖率领两千精兵前往哈达。纳林布禄也不是一个完全没用的角色，得知这个消息，修书一封给孟格布禄，对他说："如果你将建州来的两个将领抓住，就可以赎回自己的三个儿子，然后你可以尽力围歼努尔哈赤派来的两千人，如果你这么做，我就把自己的妹妹（叶赫老女）嫁给你，咱们可以重归于好。"

叶赫老女就是叶赫那拉·东哥，老女在满语里的意思是最乖巧的小女儿。据说，这个公主姿色出众，迷倒了一群人，孟格布禄就是其中之一。面对美色的诱惑，孟格布禄挡不住了，回信说同意到开原镇讨论这件事。

开原镇和辽阳镇、广宁镇是明朝在辽东的三大重镇，开原镇原名是开元镇，后来为了避讳明太祖朱元璋之名，改成开原。开原是一个重要的关卡，女真、蒙古等民族向明朝进贡都要经过开原验关才能放行。在开原城外，设有马市。

孟格布禄和纳林布禄密谋在开原商议的消息很快就泄露出去。努尔哈赤知道这消息后大怒，决定直接攻打哈达。弟弟舒尔哈齐自告奋勇充当先锋，带着一千精兵来到哈达城下。看到弟弟突然间这么勇敢，努尔哈赤很欣慰，这么多年的教育总算没有白费。

舒尔哈齐到达城下后，忽然目瞪口呆，原来城内的守军已经布防妥当。城楼上旌旗飘扬，兵士严阵以待。而且，城内的守军居然冲出来厮杀。舒尔哈齐见了，退缩不前，带兵掉头跑到努尔哈赤身边，向努尔哈赤报告："大哥，他们杀过来了。”

努尔哈赤大怒：“你以为城内没有守兵吗？”说完，亲自带兵去迎战。冲出来的守军看努尔哈赤亲自出马，又退回城里。努尔哈赤命令将士们攻城，城楼上的士兵不断地发矢投石，努尔哈赤这边损失很重。但努尔哈赤铁了心要拿下这座城池，经过六天的苦战，终于拿下了哈达城。

努尔哈赤的大将扬古利率先进城，擒住了孟格布禄。孟格布禄原以为自己这下小命要丢，哪里知道努尔哈赤竟然过来亲自给他松绑，还把自己的貂裘给他披上。孟格布禄不懂努尔哈赤为什么要这样做，接下来，努尔哈赤做的事情更奇怪了，努尔哈赤对哈达的财物和武器丝毫无取，对哈达的兵民不加歧视，统一编户籍，迁往建州。

孟格布禄终于明白了，原来努尔哈赤是想一口把哈达吞下，所以财物无所取、妇女无所幸。

努尔哈赤将孟格布禄带回费阿拉城“收养”，其实是软禁。努尔哈赤所以做事这么委婉，很大程度是考虑到当时明朝的影响力。明朝虽然强盛不复当年，但仍然是个大国，所以对北方这些部落，国家是有发言权的。作为一个大国，明朝最不希望看到的是周边部落统一，这样的话会威胁到明朝的统治。成吉思汗的崛起让后来的明朝统治者明白一个道理：千万不能让他们统一。

所以，努尔哈赤虽然征服了哈达，但还不敢明目张胆地占领哈达。为了逃避明朝追究事后责任，努尔哈赤故意把自己的女儿嫁给孟格布禄。努尔哈赤的这些举动当然是做给明朝看的，戏份演足了。一段时间后，努尔哈赤就以莫须有的罪名把孟格布禄处死了。

明朝一听，这努尔哈赤不老实啊，表面一套，背后一套，立马派遣使者来质问。努尔哈赤顿时慌了，明朝如果现在打过来，自己肯定不是对手，赶紧认错。

为了表达自己悔过的诚意，努尔哈赤决定将先前嫁给孟格布禄的女儿莽古姬再嫁给孟格布禄的儿子武尔古代。但这只是努尔哈赤的权宜之计，没过多久，他就像囚禁孟格布禄一样囚禁了武尔古代。一年以后，明朝皇帝下旨责令努尔哈赤把武尔古代送回哈达。努尔哈赤无奈，只好照办。没多久，经过战乱的哈达又遭遇了饥荒，哈达人向明朝伸出颤抖的手："救救我们吧！"

明朝没有反应，好像根本没看到这一切。努尔哈赤心想，你不管哈达的死活，现在我来管，你应该没意见吧！于是，带兵灭了哈达。

明朝日渐衰落，自顾不暇，也管不了那么多。努尔哈赤一看，心里已经了然，明朝已是一头病猫，机会来了。

现在轮到辉发部了。我们来简单介绍一下辉发部，辉发部出现了一个相当狠的拜音达里。辉发部的始祖是昂古里、星古力。传位到旺吉努时，旺吉努好比是明朝的朱元璋，他的长子先他而死，他的孙子拜音达里却不是朱允炆那号人物。祖父死后，他果断地干掉七个叔叔，自立为贝勒。拜音达里的这个做法毫无疑问让七个叔叔的家人非常愤怒，他们联合起来，叛逃到叶赫部，引起了辉发部内部大震荡，正所谓家家有本难念的经。

叶赫部早就想攻打辉发，现在辉发首领七个叔叔的家人叛逃到这里，等于送给自己一个发动战争的借口。历史又重演了，辉发告急，向努尔哈赤求救。这拜音达里真不是个好人，之前的哈达部首领是用自己的儿子做人质，他用七个大臣的儿子做人质，请努尔哈赤出兵。

人质不人质倒无所谓，努尔哈赤期盼的就是出兵。他拨了一千人马去辉发，打败叶赫部，镇压了辉发的叛乱之风。后来叶赫部的纳林布禄用计，告诉拜音达里说："如果你撤回在建州的人质，我就将你们族里的叛逃者遣返。"

拜音达里信以为真，结果被纳林布禄结结实实地忽悠了一把。拜音达里又厚着脸皮对努尔哈赤说："我被叶赫部忽悠了，对不起哈！从此以后，我老老实实地跟大汗混，只要你把女儿嫁给我就好了。"

努尔哈赤这女儿本来已经许给其他人，但他不计前嫌，把女儿许给拜音达里。没想到，拜音达里这人出尔反尔，担心和努尔哈赤结盟会招致叶赫部的愤怒，竟然背约，不肯娶。努尔哈赤一听，当然很愤怒了。万历三十五年（1607 年）九月初九，努尔哈赤亲自征讨辉发，五天后，辉发灭亡，拜音达里父子被杀。

一统海西女真

乌拉部位于松花江上游，在扈伦四部，离建州最远，需要七八天的路程。乌拉部的首领是布占泰，这个布占泰不是一个等闲之辈。

布占泰也是一块打仗的好料，除此之外，他还是一个阴谋家，城府很深。在古勒山之战中，他曾被俘虏，但他一点儿都不慌，镇定地对努尔哈赤说："我是乌拉国首领的弟弟，现在被大汗擒拿，是生是死全凭大汗做主。"由此可见，此人确实胆识非凡。

当时，努尔哈赤就挺欣赏这个人的，将他留下来"收养"。这一待就是四年，这四年布占泰卧薪尝胆，和努尔哈赤虚与委蛇。努尔哈赤以为经过四年的调教，布占泰已经是个可以信任的人。事实证明，努尔哈赤看错了，但也可以想见布占泰这个人城府之深。

万历二十四年（1596年），努尔哈赤作出一个果断的决策，放布占泰回乌拉。布占泰回乌拉后，用阴谋杀害叔父和哥哥满泰及满泰的儿子，自己当上贝勒。布占泰当上贝勒后，和努尔哈赤有过五次联姻，努尔哈赤既是布占泰的岳父，还是他的妹夫。看起来，这两人的人情功夫下得很足，但形势比人强，兵戎相见只是迟早的事。

双方大大小小的仗打了很多次，布占泰虽然精明，但打仗根本不是努尔哈赤的对手。被打得头冒青烟的时候，布占泰居然抬起了头，厚着脸皮对努尔哈赤说："如果你再把亲生女儿嫁给我，我就相当于是你的儿子了，从此以后对你忠心耿耿。"

努尔哈赤居然答应了他，这个布占泰狼性不改，不但没有悔改，反而射杀了努尔哈赤的女儿娥恩哲格格。到了这地步，努尔哈赤的忍耐已经到了极限，随即发动了浩浩荡荡的征伐行动。

这次战争中，皇太极表现不错，攻克了临河五城，又夺取了金州城。与乌拉的军队隔河相望，皇太极和莽古尔泰急切地盼望渡河攻城。

努尔哈赤给两个儿子上了一堂政治军事课："打仗是不能这么浮躁的，你们这么急切地渡河，就算胜利，也会付出很大的代价。打仗就像砍伐一棵大树，哪能一斧头劈倒一棵大树？必须先砍掉小枝叶，然后再砍掉大树枝，最后才是砍倒主干。先从软的地方下手，这样由弱到强，就能灭掉对方。攻打一个国家也是这样，绝不可以一蹴而就。"

努尔哈赤这番课程可以说让后来的皇太极受益匪浅，皇太极和多尔衮就是这样一刀一刀地宰掉大明帝国的。

在努尔哈赤的指示下，皇太极和莽古尔泰动手烧掉周边城池的房屋和粮食。布占泰无奈，只能再次举手投降。努尔哈赤笑着对儿子说："看看吧，这就叫不战而屈人之兵。"

努尔哈赤再一次容忍了布占泰。不过，一年后布占泰的毛病又发作了，娶了叶赫老女（先前许给努尔哈赤的那个美女），还将努尔哈赤的两个女儿囚禁起来。努尔哈赤亲自带兵征讨，布占泰带领三万人迎敌。这一战，布占泰又输得一败涂地，努尔哈赤攻下乌拉，布占泰只身逃到叶赫部。

努尔哈赤终于砍倒了乌拉这棵大树，接下来，努尔哈赤兵锋直指叶赫部。发动战争需要理由，这个理由不难找。努尔哈赤多次让叶赫部交出布占泰，叶赫部置之不理，好了，理由有了。努尔哈赤四征叶赫部，其间还要跟明朝周旋，终于在1619年灭掉叶赫部。此时，努尔哈赤已经六十岁了。

第七章　统一女真各个部落

努尔哈赤看清了当时天下大势，明王朝正在衰落，内忧外患，迟早有崩塌的一天。而女真族混乱无序，群龙无首。努尔哈赤分析形势后，了解到女真族唯一的出路就是统一起来，然后伺机取代明王朝。

征服东海女真

东海女真属于野人女真的一支，野人女真的另一支是黑水女真。努尔哈赤首先看中了东海女真，东海女真又分为三部：渥集部、瓦尔喀部、库尔喀部。

努尔哈赤首先征讨的是瓦尔喀部，第一战就夺取了噶嘉路城，杀掉城主阿球。第二站夺取了安楚拉库路，这场仗是努尔哈赤的长子褚英打的。褚英是一个出色的将领，这也为他后来的灭亡埋下了伏笔。打完两场仗之后，就是和亲了，渥集部首领看到努尔哈赤的实力，上百个大臣跑到努尔哈赤面前进贡、求婚。努尔哈赤心想，这是好事啊，就把自己这边六个大臣的女儿许配给对方的六个大臣，还举行了集体婚礼。

婚礼举行完毕后，努尔哈赤又开始攻打库尔喀部，由此揭开了乌碣岩之战。在攻打的时候，布占泰突然出现了，还带着万人军队截击努尔哈赤。但努尔哈赤凭借着过硬的战争本领击败了敌人，并继续向黑龙江下游挺进。

第四场战役是与渥集部之间的战役，开打之前，努尔哈赤就开始进行宣传战，对敌人喊话："我已经打败了乌拉，你们渥集部三路还跟布占泰眉来眼去，我限你们尽快脱离和布占泰的关系，否则将兴兵讨伐。"

对方不为所动，努尔哈赤挥军攻打渥集部三路，攻城略地，俘获了两千人而归。

第五次战役是收复渥集部珊叶路，这支部落位于今天俄罗斯滨海地区刀毕河一带。这次出征的借口是珊叶路收留了被努尔哈赤打散的逃兵。开打之前，努尔哈赤照例质问："你们自己不投降就算了，干吗还要收容我的敌人呢？"努尔哈赤仅仅派出千人的部队，就打垮了这个部落，将两千户人家收为己有。

总共打了十三场战役，努尔哈赤统一了东海女真。努尔哈赤统一女真的真正目的是扩大财力和兵力，为将来进军大明做好准备。要想推倒大明，取而代之，强大的经济实力和军事实力是基础。

招抚黑水女真

野人女真的一支居住在黑龙江附近，所以这支女真又被称为黑水女真。

黑水女真以前是由元朝管辖，元朝灭亡后，明朝接管该地。现在，努尔哈赤要接管这个地方，还是老办法，威胁加武力。照例，努尔哈赤需要找到一个发动战争的借口。正好黑水女真中的萨哈连部无辜杀害了七十名通商的人。努尔哈赤先采取和亲政策，但萨哈连部首领阳奉阴违，根本不买账。努尔哈赤不得不出兵了。

努尔哈赤一出兵，没有办不到的事。可以说，努尔哈赤大军所到之处，一路如摧枯拉朽，没有碰到像样的抵抗。努尔哈赤大老远来到这里，当然不会只是为了打赢一场战争。他率领大军向黑水女真各个部落宣传："归附天命汗后，荣华富贵享之不尽；如果不归顺，恐怕难逃妻离子散的下场……"

努尔哈赤说到做到，对于投降的人赏赐时非常大方。这么一来，大家也没必要自讨苦吃了。

努尔哈赤用兵这么多年，终于统一了辽东各族的女真部落。这是自完颜阿骨打创立金国以后，女真族的再一次统一。努尔哈赤是一个英雄，虽然他实现理想的方式是铁与火。那么，努尔哈赤为什么能完成这个其他人无法完成的任务呢？

首先，努尔哈赤是从苦难中崛起的，毅力非常强，只要他想做到的事情，一定会全力以赴，所以他才这么锲而不舍地统一女真部落。

其次，努尔哈赤看清了当时天下大势，明王朝正在衰落，内忧外患，迟早有崩塌的一天。而女真族混乱无序，群龙无首。努尔哈赤分析形势后，了解到女真族唯一的出路就是统一起来，然后伺机取代明王朝。

再次，在战争中，努尔哈赤一手拿着钢刀，一手挥着橄榄枝。这一招非常管用，征抚并用，可以让自己看起来更仁义，战争这种东西跟婚姻一样非常强调一个名分，名不正则言不顺。但如果做到了“仁至义尽”，对方还死不悔改的话，努尔哈赤报复起来也非常恐怖。

对库尔喀部之战就说明了努尔哈赤这种特性，他派出三个大将攻打扎库塔城，三个大将谨遵努尔哈赤指示，围而不攻，不停地对着城内喊话劝降。结果喊了三天，城内毫无动静，将士们失去了耐性，怒发冲冠，拿下该城。接下来就是大屠杀，一共屠杀了一千多人。这在努尔哈赤部队中是比较少见的，因为努尔哈赤一贯标榜自己是“仁义之师”。

最后，善待俘虏。努尔哈赤善待俘虏也是出了名的，通过这一行动，让大家明白努尔哈赤是个“厚道”的人，只要你归顺他，他是绝对不会害你的，反而给你种种好处。史书记载，努尔哈赤对待俘虏就像对待家人一样，对于归降的人，努尔哈赤甚至亲自到衙门去赏赐。领导人努尔哈赤居然亲临衙门，主持赏赐达五天，这种“周公吐哺”的姿态显然让许多人才感动不已。

正是在努尔哈赤这种政策下，女真族掀起了一股“海归流”，一波又一波的人流涌向努尔哈赤，犹如江河涌向大海。

从这里可以看出，努尔哈赤不仅会打仗，而且善于笼络人心，善于吸纳三教九流的人等。

第八章　与蒙古的结盟

明朝的想法是蒙古和后金你们打吧，我做裁判，打赢了有奖杯。努尔哈赤一看，这不好办，明朝想挑唆自己跟蒙古打起来。努尔哈赤见招拆招，制定了联合蒙古对抗明朝的策略。对于蒙古，他还是用老办法："顺者以德服，逆者以兵临。"

玩的就是和亲

本民族统一了，意味着自家人的问题已经解决，现在可以考虑对邻居下手了。

明朝后期，蒙古已经形成三大部落，分别是漠北的喀尔喀蒙古、漠西的厄鲁特蒙古和草原东部大漠以南的漠南蒙古。在这些大的部落下面，又分裂成许多小的部落。此时，中国版图上有三股强大的势力。力量最强大但正在不断衰微的是明朝这个老大哥，力量第二的是蒙古，蒙古自称拥有四十万铁骑，而此时努尔哈赤只有三万兵马。

明朝的想法是蒙古和后金你们打吧，我做裁判，打赢了有奖杯。努尔哈赤一看，这不好办，明朝想挑唆自己跟蒙古打起来。努尔哈赤见招拆招，制定了联合蒙古对抗明朝的策略。对于蒙古，他还是用老办法："顺者以德服，逆者以兵临。"

努尔哈赤首先和漠南蒙古的科尔沁部打招呼："你好啊！"科尔沁也算是一个比较强大的部落，心想努尔哈赤这老家伙以前从来不跟我打招呼，怎么突然就问好来了，一定是心怀鬼胎。

其实，在此之前努尔哈赤就跟科尔沁部交过手了。当年，纳林布禄联合九个部落一起攻打努尔哈赤，其中就有科尔沁部。第二次交手是科尔沁支援布占泰。

看到努尔哈赤要出兵，科尔沁软了下来。努尔哈赤于是主动提出和亲："听说你们贝勒明安的女儿挺贤惠的，我看还是嫁给我这个老头子吧！"就这样，努尔哈赤和科尔沁部结亲，维持了一段比较安稳的日子。万历四十三年（1615 年），努尔哈赤又娶了博尔济吉特氏，她就是后来有名的寿康太妃，此女是科尔沁郡王孔果尔的女儿，直到康熙四年（1665 年）才薨逝。

尝到和亲甜头之后，努尔哈赤开始和蒙古各部落和亲，一发不可收拾。

天命十一年（1626 年）五月十六日，科尔沁部贝勒领袖奥巴要到沈阳来拜会努尔哈赤。听到这个消息，努尔哈赤很兴奋，吩咐属下，要隆重接待奥巴这个识时务的才俊。努尔哈赤命三贝勒莽古尔泰、四贝勒皇太极等重要人物远程接待奥巴，这些人走了三天，在开原境内的固城中等候奥巴。奥巴临近沈阳的时候，努尔哈赤亲自出城十里，搭长篷迎接奥巴。奥巴看到这种阵仗，非常感动。

双方经过半个月的亲密接触，建立了深厚的感情，确立了坚定的盟友关系。努尔哈赤还将自己的侄孙女嫁给奥巴。不得不承认，努尔哈赤是个非常好客的主人，英明的领导者。

六月六日，双方在沈阳城郊的浑河岸边举行结盟仪式。杀白马、乌牛，祭奠上天，指天发誓，从此以后后金和科尔沁部永结同盟。随后，努尔哈赤赐奥巴土谢图汗，并赏赐给他铠甲、金银等，奥巴满载而归。

从此，科尔沁部和努尔哈赤结下了牢固的同盟。

搞定科尔沁部之后，努尔哈赤希望和内喀尔喀部合作。内喀尔喀部有五个部落，这五个部落打打停停，有时联合，有时争斗。这五个部落中最强的是宰赛，努尔哈赤首先想拉拢宰赛。不过宰赛自恃强大，不怎么给努尔哈赤面子。

1619 年，努尔哈赤领兵攻打铁岭城。经过一番生死激战，终于拿下铁岭城，阵斩明朝将领喻名成。当夜，努尔哈赤就将军队驻扎在铁岭城。

就在半夜，发生了一件意外的事，蒙古的宰赛和扎鲁特部一万多人马，星夜过来支援明军——很可能是想过来趁火打劫。后金的巡逻兵发现了这些人，双方发生了流血冲突。

但后金的士兵发现这些人是蒙古部落人马的时候，不敢贸然讲攻，去请示努尔哈赤。努尔哈赤大喊：“这么好的机会还等什么，赶快打啊！”这时，大贝勒代善说：“如果打的话，不太好吧，以后怎么收场呢？”

努尔哈赤说：“打。”

战争打起来后，蒙古人不敌，努尔哈赤下令士兵们追杀。许多蒙古兵掉进河里溺水而死，许多人被后金的士兵刀剑刺穿。这一战又是全胜，抓住了宰赛和其他六个贝勒。

努尔哈赤最后有步骤地释放了宰赛和他的俘虏，最终让宰赛心服口服。

通过这种软硬兼施的做法，努尔哈赤迫使更多的蒙古部落跟自己结盟。虽然努尔哈赤的工作做得不错，但也有一匹难以驯服的烈马，这匹烈马就是努尔哈赤的心病——漠南的察哈尔部。

林丹汗这匹烈马

漠南的察哈尔部落是明朝的一颗棋子。明朝每年给察哈尔部四千两的银子，让他们好好地跟努尔哈赤作对。后来，增加到四万两，看来那时明政府已经意识到努尔哈赤的危害性。察哈尔的领导林丹汗见明朝这么重视自己，自然不把后金放在眼里。事实上他错了，明朝越重视自己，说明后金越可怕。

林丹汗让使臣给努尔哈赤带了一封信，语气傲慢地质问："统率四十万之众的蒙古大汗向统率三万人的女真英明皇帝问好，不知道阁下和明朝到底有什么仇，为什么偏偏跟大明过不去。今年夏天，我已去过明朝的广宁，城池暂且归我管，赋税暂且归我收。如果阁下不小心也带兵来到广宁，不好意思，我只好不客气了。如果阁下还有什么意见的话，可以派遣使者来咨询。"

看到这种蛮横无理的信，当即就有人主张杀掉来使，努尔哈赤虽然也气得七窍生烟，但还是镇定地表示："这件事跟使者没关系，杀掉使者只会让世人骂我们心胸狭窄，先给使者接风，等我想到对策，再给使者一个答复。"

事后，努尔哈赤拟了一封国书，大灭林丹汗的嚣张气焰。信中，努尔哈赤首先驳斥林丹汗虚夸兵力，当年明洪武皇帝打到你们都城，听说当时你们也有四十万人，为何个个逃窜得跟老鼠一样，到最后剩下的也不过六万人。而且，这六万人也不尽属你的部落。你最多不过三万人的兵力，现在藐视我，真能吹啊！

信中还指出，林丹汗和明朝沆瀣一气，说："你说广宁是你收税的地方，让我不要过去，如果过去的话，你会对我不客气。这不是成心找碴儿吗？我跟你本来无冤无仇，你居然为了广宁跟我撕破脸。皇天后土，我努尔哈赤坦荡光明，上天必定保佑我，真跟我打的话，你一定能对我不利吗？"

努尔哈赤还严厉谴责林丹汗："你占着广宁，守着锱铢小利还沾沾自喜。真是目光短浅，如果你兴师攻下明朝城池的话，获得的利益那才叫大。你如果怕和明朝为敌的话，可以和我联姻。在光明前途和蝇头小利之间你选择蝇头小利，什么眼光啊！你如果真的有志恢复大都，统率三四十万大军，跟我说出这样的狂言倒也可以理解。但你自己看看，你曾经也和明军交过手，结果徒然送了自己贝勒和从臣的命，毫无斩获地回来。你说说你这个人吧，没有打什么胜仗，没有攻下什么城池，口气还这么大。你以为明朝会真心重用你啊，只不过是在利用你而已……”

最后，努尔哈赤不忘张扬自己的志气，同时劝告林丹汗弃暗投明：“我征战这么多年，兵威无处不在，凡是跟我作对的，男子莫不死于锋镝，妇女莫不守活寡。连明朝都怕我，所以才用小利诱惑你跟我作对。现在我们同是关外民族，为何不一起联手对付明朝？明朝把你的老祖宗赶到沙漠里来了，是你的宿仇。明朝杀了我的祖父和父亲，也是我的仇人。我们本没有仇怨，何必要针锋相对呢？”

林丹汗收到这封信，头顶直冒火。此后，双方虽然一度剑拔弩张，但始终没有动武。因为双方都清楚，动武的话对谁都不利。

两边就这么一直处于僵持状态，这种僵持很显然对努尔哈赤是有利的，让努尔哈赤能够腾出手来对付其他部落，经营自己的事业。真正解决掉林丹汗这个麻烦，还要等到皇太极的时候。

天聪六年（1632年），皇太极亲自率领大军征讨察哈尔，打得林丹汗率众奔逃，俘获了林丹汗的儿子、妻子等人。多尔衮大军拿下林丹汗福晋苏泰之弟南楚台吉，让他去招抚姐姐苏泰。随后，林丹汗部下的大臣和贝勒们一一投降。察哈尔问题就此正式解决。

第九章　内部清理：囚弟、杀儿、休妃

在后金有三大疑案：努尔哈赤囚禁亲弟弟舒尔哈齐，致使弟弟暴死；诛杀长子褚英及其党羽；休掉宠妃富察氏。

辣手无情灭亲弟

在后金有三大疑案：努尔哈赤囚禁亲弟弟舒尔哈齐，致使弟弟暴死；诛杀长子褚英及其党羽；休掉宠妃富察氏。

这三个案子实际上都是努尔哈赤为了维护自己领导权所采取的措施。别看努尔哈赤是一个非常英明的领导人，但部属们都很清楚，这个人再英明也是一头老虎，随时可以吃掉自己。部将们非常明白，自己面对努尔哈赤的时候是没有抵抗力的，只能小心翼翼地别逆着这头老虎。

但是，努尔哈赤的家人却不一样，他们与努尔哈赤的关系更亲近。随着努尔哈赤逐渐年老，家族中分化出几股不同的力量。

第一股力量是以大弟弟舒尔哈齐和小弟弟雅尔哈齐为首的“反大哥集团”，第二股力量是以长子褚英为首的“反老爸集团”。其他的那些力量都还是站在努尔哈赤的立场上的，可以理解，除了努尔哈赤的亲弟弟和长子，谁还敢反对他？

舒尔哈齐是塔克世的第三子，和努尔哈赤同为宣皇后所生，比努尔哈赤小五岁。努尔哈赤为什么突然关押亲弟弟？舒尔哈齐是触犯了法律，还是触犯了努尔哈赤的权威？舒尔哈齐究竟是如何死的？

关于舒尔哈齐与努尔哈赤之间的矛盾，正史上没有详细记载，我们只能根据一些事迹探微。《清太祖高皇帝实录》中有三处记载舒尔哈齐。

第一处是攻打哈达，舒尔哈齐自告奋勇为先锋，但是临阵却退缩，让努尔哈赤很失望，当众怒斥一句，让舒尔哈齐没面子。舒尔哈齐的表现虽然让人失望，但毕竟是“工作不力”，应该罪不至死。从后来的行为来看，努尔哈赤也没有惩罚他，所以囚禁舒尔哈齐肯定不是因为这个原因。

第二处是攻打乌拉的时候，当时努尔哈赤和布占泰爆发了乌碣岩大战，努尔哈赤命令弟弟舒尔哈齐、长子褚英、次子代善等率领三千人到乌拉斐优城运送俘获的人口。他们到达斐优城外时，天空出现异象，夜晚非常隐晦，但是军旗上空却有光。舒尔哈齐说：“我随大哥征战这么多年，从来没有见过这种怪象，一定不是吉兆，我们还是退兵吧。”

褚英和代善坚决表示反对，褚英说：“是吉是凶已经确定了，如果我们就这么回去，如何向父汗交代啊？”

就在他们收纳斐优城附近的五百户人家时，布占泰带着一万人马突然杀出。褚英并没有惊慌，他冷静地跟大家分析形势：“以前父汗哪次打仗不是百战百胜，这次他虽然不在这里，我们当然也能打败敌人。布占泰以前就是我们的手下败将，这次还敢来拦截我们，不是找死吗？”

褚英这一番话说得大家热血沸腾，极大地鼓舞了将士们的士气。接下来又是一场残酷的厮杀，布占泰一方虽然人数甚众，还是大败而逃。这一战，褚英和代善立的功劳很大。舒尔哈齐在干吗呢？他啥也没干，带着五百士兵躲在山下。后来，努尔哈赤准备处决跟舒尔哈齐一起躲避的两个大将，舒尔哈齐却说：“杀了他们跟杀了我有什么分别？”

碰上这样一个弟弟，努尔哈赤只能自认倒霉，这事就这么算了。

书中第三处记载直接就说舒尔哈齐在万历三十九年死去，享年四十七岁。

战场上的表现肯定不是舒尔哈齐被囚禁致死的原因，真正的原因或许在《清史稿·舒尔哈齐传》中能找到蛛丝马迹，其中有一段文字：“自是上不遣舒尔哈齐将兵。舒尔哈齐居恒郁郁，语其第一子阿尔通阿、第三子扎萨克图曰：‘吾岂以衣食受羁于人哉？’移居黑扯木。”

这段话的意思就是说，因为舒尔哈齐在战场上的表现非常让人失望，努尔哈赤从此不再让他带兵，相当于解除了他的兵权。舒尔哈齐心里很郁闷，对大儿子和三儿子说："大丈夫怎么能够寄人篱下呢？干脆我们移居黑扯木吧！"

最关键的就是移居黑扯木，移居黑扯木就是分家自己过，是另立山头。这种事情是努尔哈赤的底线，他无法忍受自己辛辛苦苦建立的军队面临分裂的危险。努尔哈赤对舒尔哈齐发出通牒，让他尽快回来。但舒尔哈齐坚决不回，努尔哈赤于是诛杀了舒尔哈齐的大儿子和三儿子。事已至此，舒尔哈齐知道如果不回的话，自己这条命也会送掉，只好回来。

舒尔哈齐回来后，努尔哈赤剥夺了他的一切特权，并且杀掉他的近臣，将舒尔哈齐孤立起来。舒尔哈齐是努尔哈赤同父同母的亲弟弟，这个亲弟弟除了不怎么会打仗之外，其实也没犯什么必死之罪，主要是跟不上形势。此时，努尔哈赤的事业蒸蒸日上，形势一片大好，你这时要来"离家出走"，不是诚心跟潮流作对吗？

至于舒尔哈齐到底是怎么死的，一直没有定论。但不管是谋杀还是病死，他都是间接地死于努尔哈赤之手。努尔哈赤果然是狠角色，对自己的亲弟弟都能下手。后来，顺治帝追赠舒尔哈齐为亲王，谥号曰庄，是为庄亲王。

狠心诛长子

杀亲弟弟已经是够绝的，但努尔哈赤还做过更绝的事，处死能文能武的长子褚英。万历四十三年（1615年），五十六岁的努尔哈赤作出了一个骇人的决定：下令处死仍在狱中的长子。

当然了，史书上肯定会记载，褚英之所以被杀完全是咎由自取。我们先来看看正史是如何记载这件事的。

褚英，1580年出生，母亲是努尔哈赤的爱妻元妃佟佳氏。褚英这孩子挺像父亲的，特别会打仗，智勇双全，十八岁的时候就率军征讨安楚拉库路，大胜而归。努尔哈赤赐他为洪巴图鲁，封贝勒。巴图鲁是勇士、英雄的意思，前面加个"洪"字，相当于大英雄。二十七岁的时候，褚英跟随舒尔哈齐出征，参加了乌碣岩大战。舒尔哈齐迷信天象差点儿贻误战机，褚英独当一面，坚持出战，赢得了这场战争的胜利。这一战后，努尔哈赤封褚英为广略贝勒。

写到这里，大家一定纳闷了，这么优秀的一个人，又是自己的儿子，努尔哈赤为他自豪还来不及，干吗要处死他呢？

这个问题直到现在还是个谜，我们来看看正史是怎么解释这件事的。根据正史的说法，努尔哈赤的大业如日中天的时候，确实考虑到接班人的问题，据说他打算让褚英接班。为了让政权顺利交接，努尔哈赤让褚英代理一些国家政务。不过，褚英的表现让努尔哈赤很失望。努尔哈赤说褚英这个人虽然会打仗，但是心胸很狭隘，不是一个合格的政治家。所以努尔哈赤陷入矛盾之中，是废掉长子，还是让长子接班？

有传言说褚英曾当众叫嚣："一旦我即位，就把和我作对的各个兄弟和大臣全部杀掉。"我想，只要褚英脑子没病，应该不至于说出这样的话吧，说出这种话等于就是说千万别立我，一旦立我，我就大开杀戒。褚英心里是不是这样想，那没人知道。所以，我们可以断定，这是褚英对手造谣之言。

努尔哈赤帐下有四大贝勒、五位大臣，四大贝勒分别是大贝勒代善、二贝勒阿敏、三贝勒莽古尔泰、四贝勒皇太极，五大臣分别是额亦都、费英东、何和礼、扈尔汉、安费扬古。四大贝勒、五位大臣相当于努尔哈赤政权的基石，他们坚定地支持努尔哈赤，褚英由于被推到储君的位置，难免和努尔哈赤发生一些冲突和矛盾。四大贝勒和五位大臣正好借着这个机会打掉褚英集团，所以他们罗列了褚英的罪状，联名告发褚英。

那么，褚英有什么罪名呢？其实，这个罪名非常牵强。一是说褚英在四大贝勒和五位大臣之间挑拨离间，你说挑拨离间这东西算是罪名吗？四大贝勒、五位大臣都不是小孩子了，别人能随便挑拨得了？第二个罪名是褚英向弟弟们索要财物，削夺弟弟们的实力，加强个人的权力。这一条无论事实是怎样的，都不构成死罪，以努尔哈赤的英明肯定是不会因为这些牵强的理由处死褚英的。而且作为一个英明的领导人，努尔哈赤应该知道储君上位之前集权是必须的。

根据《满文老档》的记载，努尔哈赤拿着这些检举书给褚英看："这是你的兄弟们和大臣们控诉你罪行的书，你有没有什么要争辩的？"

褚英颇有自知之明，回答道："我没有什么好争辩的。"

旁边的大臣和贝勒们说："既然你已经认罪，那么就不能由你执政，国家的大权不能交给你。"

训斥完之后，努尔哈赤让褚英闭门思过。据说，褚英并没有真诚地认识到自己的错误，反而时时感觉郁闷，心术不善，不认己错，甚至"焚表告天"，在背后诅咒，等等。努尔哈赤很失望，真的很失望，只好把褚英逮捕起来。万历四十三年（1615 年）八月二十二日，努尔哈赤下令将褚英处死。褚英，享年三十五岁。

那么，真实情况又是怎样呢？

真实情况应该是褚英是一个合格的储君，在他代理执政期间和老爸的政见发生冲突。英明的褚英意识到，老爸设置这么多贝勒和重臣，对自己将来的接班会非常不利，所以必定要采取一些措施削弱这些贝勒和大臣的权力，结果招致了这些人的集体反对，所以联名弹劾他。

褚英错就错在有点儿超前了，不该动手太早。想这个褚英，身为长子，最早跟着老爸南征北战，在军队中慢慢树立了个人威信，追随者也越来越多。加上，当时大家都认为将来继承人必定是褚英，所以很多人把前途押在他身上。

看到褚英的追随者越来越多，努尔哈赤心里肯定很不舒服。虽然褚英肯定没有和努尔哈赤作对的意思，但势力已经形成。努尔哈赤虽然想把江山交给褚英，但现在自己还没死，儿子就自成一体，这种感觉是非常不舒服的。

任凭个人感情再强烈，任凭努尔哈赤再爱这个儿子，也抵不住形势的力量。当褚英利益集团形成之时，努尔哈赤感觉自己的权威受到威胁。

褚英是个人，是人都会有弱点。在褚英代理执政期间，必然会把利益的天平偏向自己的亲信，这势必引起努尔哈赤集团的代表人物——四大贝勒和五位大臣的不满。努尔哈赤很担心唐太宗玄武门之变的事情再次发生，如果不摧毁褚英集团，他睡不着觉，一旦越来越多的追随者涌向褚英那边，褚英会不会提前发难，要了自己的老命？

说实话，努尔哈赤了解这个儿子，这个儿子不是弑父的料儿，儿子可以相信，但其身边的人却无法让人相信。

为了确保自己的统治地位，努尔哈赤果断地向褚英下手了，反正努尔哈赤不缺儿子。

休宠妃之谜

天命五年（1620年），后金的宫廷里发生了一件大事，努尔哈赤休掉了第二个大福晋富察氏，休掉没多久，富察氏就死了。其中到底隐藏着什么秘密呢？

富察氏姓衮代，曾经嫁给威准，威准是努尔哈赤祖父哥哥的孙子。威准死后，她改嫁努尔哈赤，同努尔哈赤生下皇五子莽古尔泰、皇十子德格类及公主莽古济。《清史稿》中曾经记载，海西女真九部联军进攻建州，努尔哈赤在睡大觉，富察氏过来叫醒他，说敌人大军压境，你还睡得着……

从这事情上看，富察氏还是挺贤惠的一个妃子，而且努尔哈赤确实很宠爱她，最后怎么会落得这么个下场？

关于她的死，正史上记载只有寥寥一句话："以富察氏在太祖时，获罪赐死故也"；"天命五年，妃得罪，死"。

说来说去，就是说富察氏犯罪了，然后就死掉了。也没说犯什么罪，怎么死的。看来，只能挖掘更多材料了。

《满文老档》是皇太极时期修的史书，里面记载了一个故事，有点儿捕风捉影的味道，但或许能给我们提供不少线索。

小福晋为了上位，给努尔哈赤打小报告，说富察氏几次送饭给大贝勒，大贝勒高高兴兴地吃了。富察氏又送饭给四贝勒，四贝勒收下但没有吃。此外，富察氏隔三岔五派人去大贝勒家，也不知道干啥好事。此外，这个大福晋，有好几次黑夜还悄悄出门，真不知道那么晚了她还有什么要事。对此，努尔哈赤说：“小福晋，你未免有点儿八卦了。我曾经说过，等我死后把小儿子和大福晋交给大贝勒收养。有了我这话，大福晋和大贝勒交往多一点也很正常啊！”

书中还记载，大家在努尔哈赤家开会的时候，大福晋媚眼儿一个劲儿盯着大贝勒，表现得如此明显，以至于众大臣和贝勒都觉得不妥。讲这些的时候，我们始终不能忘记一个事实：《满文老档》是在皇太极时期修的，皇太极对三贝勒莽古尔泰是非常看不顺眼的。

后来，许多人向努尔哈赤打小报告，说大福晋和大贝勒有奸情。努尔哈赤为了给自己留面子，说道：“大福晋偷盗了许多金银珠宝、绫罗绸缎，还把这些财物隐藏了起来，你们赶快给我把这些财物找出来。”

结果一找还真有一大堆，好了，可以给大福晋治罪了。努尔哈赤先和大福晋离婚，然后给大福晋治了一个盗窃罪。至于那个检举有功的小福晋代因扎，升到和努尔哈赤同桌共食、举案齐眉的地位。

从中我们可以看出，努尔哈赤怀疑大福晋有私通罪。但是，如果仅仅根据小福晋的检举，是不能给大福晋定罪的。继母给继子送饭是很正常的事。大福晋差人去问候大贝勒也很正常，以后努尔哈赤死了，就指望大贝勒保护自己，能不积极一点儿吗？开会时，大福晋眼睛盯着大贝勒，这个更是荒唐，眼睛盯着谁就代表跟谁有奸情吗？而且，是不是已经有谣言，所以众人才感觉大福晋盯着大贝勒呢！总之，证据不足。

但是，如果富察氏没有和代善私通，那努尔哈赤最后逼死她是不是有点儿过分呢？我们可以从几点来考虑。首先说说这个揭发人的小福晋，小福晋如果没有一定的证据，如果不是觉得十拿九稳的话，纵使有天大的胆子也不敢告发正在受宠的大福晋，何况她这一告发就连权势熏天的大贝勒也牵连在内。

最后努尔哈赤让四位大臣调查这件事，调查的结果只有努尔哈赤和四大臣知道，用四大臣的话说："大汗听了我们的调查报告，不愿加罪儿子。"

努尔哈赤只能给大福晋安个"盗窃罪"的罪名，但这个罪名明显太荒谬了，大福晋贵为大妃，犯得着盗窃吗？

其实，对富察氏之死，正史上根本没有记载，但我们可以找到一些蛛丝马迹。

在《清史稿·莽古尔泰传》中，在大凌河围攻祖大寿的时候，莽古尔泰和当时的掌权者皇太极发生了冲突。莽古尔泰很冲动，也很无礼，不顾弟弟的阻止，对皇太极破口大骂，还准备拔刀砍过去。皇太极非常愤怒，说了一句让人吃惊的话："你算什么东西，敢在我面前嚣张，你不过是个亲手杀掉母亲获取宠信的家伙！"（是固尝弑其母以邀宠者！）

皇太极的话中充满了蔑视，洋洋清史中，幸亏皇太极发了一次怒，否则我们也许永远不知道富察氏真正的死因。

写到这里，大家都对莽古尔泰很失望，母亲就算出出墙，也没有必死的理由啊！就算该死，动手的也不该是儿子。亲手杀死母亲的儿子肯定不是好儿子，这样的儿子肯定也不会有好下场。后面我们会看到，莽古尔泰的下场很惨。

第十章　后金缔造者

等到明神宗反应过来的时候，努尔哈赤的势力已经成形了。最后一次朝贡，努尔哈赤自己没去，派遣了十几个使者，随便拎了点儿土特产。

八旗制度

我们现在对八旗制度津津乐道，其实八旗制度并不是女真族的传统，而是努尔哈赤独创的。

万历十二年（1584 年），努尔哈赤就创立了八旗的牛录。牛录在满语中是箭的意思，每人出一支箭，十人组成一个牛录，牛录的首领叫牛录额真，这是最早的牛录。努尔哈赤在这个基础上编三百人为一个牛录，牛录额真相当于大箭主。五个牛录设一个甲喇额真，五个甲喇设一个固山额真，固山是旗的意思，成为固山额真相当于旗主。

刚开始的时候只有四旗，都是纯色，分别为黄、白、红、蓝。后来，增设了四旗，分别为镶黄、镶白、镶红、镶蓝。总共有八旗，八旗制度就这样确立了。

牛录额真后来又称为牛录章京，清朝入关后称为佐领。甲喇额真后称为甲喇章京，入关后称为参领。固山额真，也就是旗主，在入关后称为都统；梅勒额真在入关后称为副都统。

一个旗有二十五个牛录，计七千五百人；八旗有二百个牛录，合计六万人。这就是清朝入关前的兵力，人数虽然不多，但是战斗力非常强。八旗作为努尔哈赤亲手缔造的军事制度，首要的目的就是战争。努尔哈赤作为八旗制度的最高领导人，掌管着军队的最高权力。努尔哈赤的子侄们为八旗的旗主，一些重要的将领可以当上副都统、参领和佐领之类。

八旗军以骑兵为主，步兵为辅。当然，八旗军最让人刮目相看的还是严明的军纪。每次打仗之后，一定赏罚分明，要进行战后总结。

八旗军还有一个最大的特点，就是兵民合一，打仗时大家都是兵，闲暇时要进行耕猎。就是这样一支纪律良好的军队最终打败了明朝，打败了闯王李自成。

创建满文，发展满族文化

努尔哈赤不光是一个军事家，也是一个颇有建树的政治家。现在我们说的满文就是努尔哈赤创造的，以前女真部落有过一段时间的文字，大概是在明朝中叶的时候，这种文字就消亡了，因为这种文字非常奇怪，说它像汉字又不是汉字，说它像契丹字又不是契丹字。由于这种文字难以辨识，逐渐从历史长河中消失了。

努尔哈赤为什么要创建满文呢？说实话，这是必须的。后金已经起来了，虽然大家都说女真语，不过用的官方文字却是蒙古文字，所有女真人都必须学蒙古文。

就努尔哈赤自己来说，他粗略地了解一些汉文和蒙古文，越了解就越郁闷：为啥汉语和汉文是一致的，蒙语和蒙文也是一致的，咋就我们女真族只有语言没有文字？我如果不创制出满文的话，实在有愧于后世子孙！

努尔哈赤把这个艰巨又光荣的任务交给了额尔德尼和噶盖。额尔德尼很早就跟随努尔哈赤南征北战，战场上是一块好料，除此之外，这人还特别爱读书，精通蒙古语和汉语，在努尔哈赤帐下，算是一个难得有学问的人物。噶盖学问虽然比不上额尔德尼，但做事相当踏实。

说实话，接到这个任务，额尔德尼和噶盖都感到很为难。

努尔哈赤说："这还不好办，你们直接把蒙文的字母拿过来，对上我们的读音，这不就结了。"

在努尔哈赤的指导下，轰轰烈烈的满文运动开始了。噶盖在创建满文的过程中因为犯了政治错误被诛杀。

额尔德尼根据努尔哈赤的指示，终于创制了因文见义的满文，这种满文又称为"老满文"，主要是区别于皇太极时期加圈点的新满文。额尔德尼算是女真的仓颉了，虽然有照搬和借鉴，也算是文化的开创者吧！所以，皇太极评价他是"一代杰出之人"。

额尔德尼创建的老满文没有圈点，仍然存在一些缺点。后来，清太宗皇太极任命达海改进满文，达海学问很好，圆满地完成了这个任务。经达海改造的满文称为新满文，康熙帝对达海的新满文评价非常高，亲自立碑表彰他的功劳。

满文创制成功以后，满族人自信心大增。以前，他们感觉自己是一个流浪的民族，没有文字，从心理上没有归宿。满族的影响力还在不断地扩大，之后将会让整个大地震颤。

对此，大明还没有心理准备。

善于韬光养晦的老狐狸

努尔哈赤既是狮子，也是狐狸：他凶狠的时候非常凶狠，狡猾的时候也相当狡猾。从努尔哈赤十三副铠甲起兵到现在，明朝的表现实在让人太失望了。明朝的皇帝纵使糊涂，明朝的边将也不应该糊涂。其实，其中有一个很大的原因是努尔哈赤善于伪装，所以才没有成为明朝的“眼中钉”。

努尔哈赤习惯用朝贡的方式消除明朝的戒心。当努尔哈赤跪在大明的宫殿上，卑躬屈膝、唯唯诺诺之时，明朝的皇帝没理由认为这个人是个威胁。从1590年到1615年，二十五年的时间里，后金赴明朝朝贡达八次，其中七次是努尔哈赤亲自去的。第一次朝贡的时候，努尔哈赤三十一岁；最后一次朝贡的时候，他已经是个五十六岁的老人了。人一辈子能有几个二十五年，在二十五年的时间里，努尔哈赤坚持不懈地在明朝面前俯首称臣，就算明知是假，万历皇帝也会被他这种精神打动。

其实，在努尔哈赤后来的几次朝贡中，大明的边将屡次上书给皇帝，让明神宗小心努尔哈赤这老家伙。兵部尚书李化龙再次提醒明朝皇帝：“我朝如果没事的话，努尔哈赤不会轻举妄动。一旦有事，这个人一定是罪魁祸首。”

明神宗把这一切都当成耳边风，他那点儿脆弱的心思大部分都沉浸在酒色之中。等到明神宗反应过来的时候，努尔哈赤的势力已经成形。最后一次朝贡，努尔哈赤自己没去，派遣了十几个的使者，随便拎了点儿土特产！

万历皇帝傻眼了，以前努尔哈赤朝贡的话都会带上几百人，现在就派十几个人来，而且手上的东西分量明显轻了。完了，被这老狐狸骗了。

建立后金

万历三十一年（1603年）八月，努尔哈赤从费阿拉城迁都到赫图阿拉，这个赫图阿拉就是努尔哈赤的祖先孟特穆选定的。

到了赫图阿拉后，努尔哈赤首先扩建城池，至少可容纳十万人居住。修建了几年，终于把城池弄得像模像样了。虽然都城选定了，但努尔哈赤并没有急着称汗，一直等到1616年，努尔哈赤认为时机成熟了，才在赫图阿拉称汗，建立后金国。

努尔哈赤在称汗之前，曾经召开会议讨论称号问题。与会者一致认为，国不可一日无汗，以前我们没有汗，受的苦实在是太深了。现在老天爷总算给了我们一个英明的领导人，是的，努尔哈赤就像是老天赏赐给我们的救世主，我们应该顺应天命，称呼努尔哈赤为天命汗。

天命元年（1616年）正月初一，努尔哈赤举行了登基大典，称为大英明汗，国号为“金”，也就是“后金”，年号为天命，这一年为天命元年。

虽然努尔哈赤尽量想把仪式搞得低调一些，但既然想出头的话，就没法遮掩。努尔哈赤刚一登基，明朝辽东经略熊廷弼就上书给明帝：“奴贼建国后金，登基为汗，自称为朕。

这种大逆不道的行为绝对不能纵容，奴贼竟然招降我大国边疆将士。”

不过，明朝最高领导者仍然认为努尔哈赤不足为患，那么一丁点儿的人，巴掌大的一块地方，能搞出什么名堂来，最多不过在边境一带打家劫舍，暂且由他，迟早会算总账的。

国家已经建立了，怎么治国呢？努尔哈赤治国有什么特色吗？

努尔哈赤提出了一个口号：“君明臣良，同心共济，秉志公诚，励精图治。”从这个口号中我们能看出其领导的治国方略，转译一下就是：“我一定要努力做一个贤明的领导，在我的贤明领导下，如果还有哪个臣子不贤良，那真是对不起我啊！以后大家要和我一条心，一心为公，励精图治把后金国建设为一个强大的国家。如果不这样做的话就是跟天命作对，跟天命作对的下场大家应该很清楚。”

努尔哈赤的思想总的来说就是：君德、臣德。臣德就两点：努力工作，忠诚。

努尔哈赤辛勤了一辈子，就是为了有一天端掉明朝这个庞然大物，所以他忍忍忍。他要灭掉明朝不光是因为明朝杀了自己的祖父和父亲，也是因为明朝腐化堕落，让他看到明朝灭亡只是迟早的事。

第十一章　高举反明旗帜：七大恨

大明的灾难才刚刚开始，而它的灾难从某种意义上来说是咎由自取的。落后就要挨打，腐败就要灭亡，这是亘古不变的铁律。

七大恨

努尔哈赤用了两年时间秣马厉兵，一边磨刀，一边臣服。天命三年（1618 年）四月十三日，努尔哈赤发布“七大恨”，点兵十万讨伐明朝。

努尔哈赤为什么选择在这个时候征讨明朝呢？

第一个原因是努尔哈赤已经准备得差不多，兵器库里面的兵器已经塞满了，攻城的器械也都造好了，兵士们也训练得差不多了。

第二个原因是明朝的政治越来越腐败，边疆的防备越来越松弛，墙上有裂缝了，推倒墙就容易得多。

第三个原因是努尔哈赤已经基本稳定了后院，统一了各部，把内部的反对派清洗得差不多了。后方稳定，前线无忧，努尔哈赤可以放心地打了。

第四个原因，也是最直接的原因，后金国遭遇了天灾，到处是饿殍和乞丐。努尔哈赤非常担心，再这么下去，国内估计有人造反了。

为了避免这种事情发生在后金，努尔哈赤果断地选择了转移国内矛盾，将矛头直指明朝，发布了所谓的“七大恨”。“七大恨”的内容无非是：

一、明朝无故杀害努尔哈赤祖、父；

二、明朝偏袒叶赫、哈达，欺压建州；

三、明朝违反双方划定的范围，强令努尔哈赤抵偿所杀越境人命；

四、明朝派兵保卫叶赫，抗拒建州；

五、叶赫由于得到明朝的支持，背弃盟誓，将其“老女”转嫁蒙古；

六、明当局逼迫努尔哈赤退出已垦种之柴河、三岔、抚安之地，不许收获庄稼；

七、明朝辽东当局派遣守备尚伯芝赴建州，作威作福。

努尔哈赤这“七大恨”成功地将女真人的民族情绪引导到明朝身上。在“七大恨”中，“叶赫老女”给了努尔哈赤一个好借口，“叶赫老女”虽然死了很多年，但依然有利用价值，这就是努尔哈赤厉害的地方。

这“七大恨”不过是车轱辘话，绕来绕去就一个意思：明朝，我看你很不爽，要找你麻烦。

皇太极计破抚顺

对明朝的战争正式开始了，在努尔哈赤的计划里，首先是拿下抚顺、清河。

在进攻抚顺之前，皇太极出了一个点子，得知抚顺的一个守将李永芳在四月初八这天要开马市，一直持续到二十五日。皇太极建议派出五十名奸细，混入抚顺城。到时，内外夹击，自可拿下抚顺。

在进军抚顺之前，努尔哈赤就提出了“四勿”：凡俘获之人，勿去衣服，勿淫妇女，勿离异其匹偶。拒战而死者，听其死。若归顺者，慎勿轻加诛戮。

由此可以看出，努尔哈赤显然很看重“名声”，要打仗杀人也要杀得名正言顺。天命三年（1618 年）四月十四日，努尔哈赤下令兵分两路，左四旗进攻东州、马根单两处，努尔哈赤自己带领右四旗和八旗中的精锐护军进攻抚顺。

行军路上，努尔哈赤还表示：“我看自古帝王即使身经百战，最后登上尊崇地位，但没有一个可以永享的人。这次我发兵，不是图什么大位，只是因为明朝经常压迫我，不得已才征讨的。”

努尔哈赤之所以选择抚顺，是因为抚顺是辽东一带的枢纽城池。努尔哈赤对抚顺非常熟悉，第一仗选在抚顺也是胸有成竹。

努尔哈赤对兵书也算是个内行，深知不战而屈人之兵的道理。他首先大张声势，大兵压境，将抚顺团团包围（队伍绵亘百里，旌旗蔽空）。围城之后，就开始进行心理战了。

守将李永芳，不要指望他是之前的于谦，也不要指望他是后来袁崇焕那样的人物。努尔哈赤抓到一个明朝士兵，让他把劝降书交给李永芳。在劝降书中，努尔哈赤一方面威胁说攻下抚顺只是举手之劳，另一方面诱之以利。我努尔哈赤知道你是个人才，如果你投降，我会更加重用你，让你和我最重要的大臣享受同等待遇。如果你坚持抗战的话，我到时要把城池屠杀得干干净净。

李永芳很纠结，他并没有立即投降，一方面让城中士兵加强防守，另一方面也在考虑要不要投降。这时，抚顺城内的后金奸细到处散播投降言论，以致人心惶惶。努尔哈赤命八旗军登城，明军的中军千总王命印等人抵抗身亡。李永芳心想，此时此景，再反抗下去也没用，不如投降吧！

李永芳投降后，努尔哈赤果然信守诺言，不杀城中军民。就这样，努尔哈赤半恐吓半诱惑地拿下了抚顺、东州和马根单三城，还拿下了抚顺周围的堡垒和寨子五百多个。这一战收获很大，俘获人畜三十万，归降的人民编为一千户。

努尔哈赤是个贼精明的人，他把在抚顺做贸易的十六个外地商人招来，给每人一大笔钱，让他们带着“七大恨”回去：你们给我散发这个传单，这笔钱就归你们了。

商人唯利是图，自然答应了。努尔哈赤此举在于告诉天下人，我努尔哈赤拿下了抚顺，我很厉害，明朝很弱。

努尔哈赤还释放了四个汉人俘虏，让他们带着“七大恨”回去给明帝。

抚顺等三城失陷的消息传到广宁，辽东巡抚李维翰急忙让广宁总兵张承荫带兵一万去支援。两军靠近时，刮起了大风沙，对八旗兵有利。明军死伤枕藉，大败而逃。

四月二十六日，努尔哈赤凯旋班师。对于抚顺降民，努尔哈赤给予了优待政策。为了表彰李永芳投降好榜样，努尔哈赤还将第七子阿巴泰的女儿嫁给他，授他为总兵官，仍然统领自己的士兵。

这个消息传到明朝宫廷，明神宗非常愤怒，一个小奴贼居然这么猖狂，你们这些大臣大将是吃干饭的吗？明神宗要求调兵遣将，拨款剿贼。不过他对问题的严重性显然估计不足，临时调集一些兵马，希望能够一劳永逸地解决努尔哈赤。最开始的时候，悬赏银一千两拿努尔哈赤的人头。几个月后，努尔哈赤人头的价格就升到一万两了。

抚顺之战的胜利，让努尔哈赤意识到推翻明朝不是梦。他对明朝的腐败洞若观火，为了避免自己的后代犯同样的错误，他教育道：“国家的败亡，从来不是因为财力不够，都是骄纵腐败导致的。像夏桀、商纣、隋炀帝、完颜亮这些人，都是贪图享受、不思治国的人，所以国家才亡。你们一定要牢记这些历史教训，一旦重蹈历史的覆辙，我们离败亡也不远了。”

攻克清河

清河城和抚顺城是完全不同类型的城池。抚顺是辽东的枢纽，四通八达，地位非常重要。而清河则是一个重要的关口，四面环山，易守难攻，有“天险”之称，只有东路通往鸦鹘关。

攻克清河城就没有拿下抚顺那么轻松了，七月二十一日，当努尔哈赤大军抵达时，清河城早已做好了准备。清河城只有五千守兵，临时又抽调来五千士兵，再加上城内有几千个闲散男丁，合起来也有一万多人。清河城还有一个撒手锏——大炮。清河城有一千多炮手。

最关键的是，城内有一个钢铁一样的将领，虽然只是个副将，但他表示要与城池共存亡。这人便是邹储贤。

努尔哈赤还以为像过去那样轻松，当他们攻城的时候，忽然发现许多门大炮对着自己狂轰，城上的滚木和礌石如暴雨一样往下砸。八旗军死伤惨重，城楼下全是尸体。八旗军八次进攻，八次被打退，如果没有意外的话，努尔哈赤的英名不必等到袁崇焕来终结，邹储贤就可以了。

但意外偏偏发生了。努尔哈赤有一个谋士叫范文程，范文程是北宋名相范仲淹的十七世孙，以前是明朝的一个官员，后来投奔努尔哈赤。范文程没有“投降者意识”，投奔努尔哈赤后忠心耿耿，成为清初的股肱之臣，历经三朝四代不倒。当时范文程就对努尔哈赤建议说：“我们不能跟邹储贤硬拼，这人不怕死。我们最好是派间谍进入清河城做内应。”

努尔哈赤一听，对啊！派谁呢？这个人得能够得到邹储贤的信任，还得忠心为我办事。这个人就是李继学，李继学是一个生意人，也是一个双面间谍。努尔哈赤找到他的时候，他首先是不干，说明他还是有良知的。但当来人把刀子架在他家人的脖子上时，他没法不干了。他不是那种可以为了大家舍弃小家的人。

李继学连夜准备了十多辆参车、皮货车和粮食车，带着一帮“伙计”往清河城去。快到清河城时，努尔哈赤的军队就跟在马车的后面。

邹储贤很早就与李继学认识，也知道李继学曾秘密为明军提供情报。但是现在战事正处于紧要关头，即便是李继学，邹储贤也不能轻易相信，因此问道：“你从什么地方过来的？”“从辽阳来。”“干什么的？”

“贺世贤副总兵有紧急军情让我交给你。”

“贺总兵在瑷阳，你却从辽阳来，这未免太不可信了吧。”

李继学于是按照范文程教给自己的话回答：“贺总兵的援军半道受阻，为了给你送信，特让我从辽阳方向来。这样可以避免后金察觉，再者就算被后金察觉了，看是从没有援兵的辽阳过来，也好消解他们的怀疑。”

范文程真厉害，这回答真可谓滴水不漏，但邹储贤并没有就此相信。

邹储贤又问：“贺世贤副总兵让你来这里就是为了送情报吗？”

李继学指了指身后的粮车，说：“贺总兵让我带了一些粮食过来，他怕城内缺粮，影响军心。”

就在这时，忽听远处有人冲李继学的商队大喊：“你们是干什么的？”

邹储贤在城楼上看到一群八旗兵朝李继学的人马冲过去，李继学的“伙计”也冲了过去，双方一顿厮杀，不少“伙计”倒地。

士官们着急地对邹储贤说：“参将大人，快开门吧，要不然他们都要被杀死了……”邹储贤还不愿开城门，但最终还是无奈地点点头。

城门一打开，这些“伙计”马上露出了真面目，斩杀城门处的士兵，然后把住城门，让早已埋伏在附近的八旗兵纵马进城。邹储贤大惊失色，率领将士们杀向城门。可惜为时已晚，越来越多的后金将士冲了进来，如潮水的后金军蜂拥而至，他只得退回城内。邹储贤奔回参将府，一把火烧了府邸，将家人烧死其中。

接着是一场血腥的巷战。

邹储贤上马提刀杀入八旗军中，杀死几个八旗兵后，忽然看到了李永芳。邹储贤对着李永芳破口大骂。大贝勒代善一看，好机会，忙让弓箭手把邹储贤射下马。城内一万余名明军和五百多户居民，与八旗军浴血奋战。明军个个都是玩命的，所以这一战八旗军死伤甚多。

经过一天一夜的厮杀，清河城血战终于落下了帷幕。一万多名守城的明朝官兵全部壮烈牺牲，五百多户居民全部被屠杀。八旗官兵伤亡达八千多人。

打下清河之后，努尔哈赤有些沉不住气了，他给明朝写了一封非常蛮横的信："尔若不以我之值为值，我之是为是，欲战，我则订军期出边界，露师于外。或十日，或十有五日，挺身攻我，决一战……"

这口气狂妄得谁都受不了，由此可以看到努尔哈赤对明朝的刻骨之恨，但同时也说明胜利可以让一个人自我膨胀。

萨尔浒之战

清河失陷，震惊了明朝上下。

万历皇帝当然不能坐以待毙，立即召集大臣商量对策。大家共同拿出了六个对策：

重新任命剿贼元帅。万历皇帝将辽东巡抚李维翰削籍为民，任命兵部侍郎杨镐为辽东经略，周永春为辽东巡抚。除此之外，万历还急调山海关总兵杜松、保定总兵王宣、辽阳总兵刘綎、辽东总兵李如柏、开铁总兵马林等一起协助杨镐打掉努尔哈赤。

调集兵马。万历皇帝将福建、江西、浙江、四川、甘肃等地兵马调往辽东。但这些兵都不太愿意去辽东，一路上懒懒散散，非常勉强。最后，总算是凑齐了十万人马。

增加军饷。以前不打仗的时候，朝廷是尽量克扣员工工资，现在知道不给这些人发工资，仗就没法打，军人吃不饱，国家就会危亡在即。朝廷拨出两百多万两白银，但真正到将士手中的有多少，只有天知道。

给朝鲜施压，让朝鲜一同征讨。万历皇帝给朝鲜写了一封信，要求朝鲜和天朝大国一起征讨奴贼。朝鲜当然是能应付就应付。

严明军纪。皇上说军纪一定得严明，不严明的话战斗力不高。所谓“上有政策，下有对策”，军纪不是一天就能严明的，其他方面搞不好，军纪想严明只怕也难。

万金悬赏。明朝皇帝从朱元璋开始就非常小气，万历皇帝能够拿出一万两银悬赏努尔哈赤的人头应该说是够大方的。当然，努尔哈赤人头的价值远远不止一万两。这还不是最关键的，关键是谁有本事拿努尔哈赤的人头啊！

经过十个月的准备，援兵总算到达辽阳。明朝廷担心劳师动众，时间一长，花费越来越大，所以屡次催杨镐快点儿动手。打仗这东西就像生孩子，不酝酿好，那不就是早产吗？所以，这场剿贼之战我们可以想象。

杨镐本是个腐朽贪污的老将，现在压力也非常大，于是只好提前动手，在辽阳的演武场点兵，颁布了十四条军令。最后，杨镐底气不足地说道："违令者斩。"为什么说杨镐底气不足呢？以前在抗倭战争中，他就谎报军情，明明吃了败仗，他却说击败倭寇，斩首多少多少。

这天，杨镐拿出皇上御赐的尚方宝剑，当着全军将士的面斩掉抚顺之战中临阵脱逃的将领白云龙。白云龙也够冤的，主将投降了，自己能不跑吗？自己没跟着李永芳一起投降就已经是不错的。

誓师之后，杨镐兵分四路，直接杀向后金的国都赫图阿拉。

第一路是左翼中路，由山海关总兵杜松、保定总兵王宣等人率领，发兵两万五千，从抚顺出兵，直指赫图阿拉。

第二路是右翼中路，由前辽东总兵李如柏和参将贺世贤率领两万人，从清河出发，途经建州南部，向赫图阿拉进攻。

第三路是左翼北路，由开铁总兵马林率领两万官兵，外加叶赫部两千盟军，从开原出发，途经建州北部，进攻赫图阿拉。

第四路是右翼南路，由辽阳总兵刘綎率领一万官兵，外加明朝胁迫朝鲜的一万三千士兵，从建州东部进攻赫图阿拉。

四路大军，总兵力有十万，号称四十七万，洋洋洒洒地涌向后金的国都。杨镐自己坐镇辽阳指挥，原计划在二月二十一日出征，但是当时大雪满天飞，于是改为二十五日进攻。杜松比较了解敌人，认为现在出兵不利，请求暂缓出兵。杨镐不同意，因为上头一直在催。刘綎认为现在还不了解地形，不宜仓促出兵。杨镐听了大发脾气："国家养士是干啥的？临阵就退缩对得起国家吗？如果再有推延塞责的，军法处置！"

兵法上讲："知己知彼，百战不殆。"明军在这场战役开始就没有做到知己知彼，出兵之仓促让人咋舌。那努尔哈赤表现又如何呢？

事实上，在杨镐出兵之前，努尔哈赤就派人打探到明军的军情，知道杨镐准备兵分四路进攻赫图阿拉。努尔哈赤心想，你兵分四路，我就偏偏一路，集中优势兵力把你们逐个击破。

了解敌情后，努尔哈赤也不忘临阵磨枪，将武器擦得更锋利；还派出侦察兵，沿途搜集军情，一路勘察地形，在合适的地方设下埋伏。同时，坚壁清野，埋粮填井，撤回沿途的女真兵民，全部集中到赫图阿拉，这样就相当于把拳头捏紧了，只等对方过来，给予对方致命一击。

杜松首先出发，作为一员猛将，杜松打仗的本领值得肯定，但他为人骄横，刚愎自用，而且又很贪功。他率领两万多人，抵达抚顺关后，急行军越过五岭关，一路到达浑河。这时已经是夜晚，大家都说就地宿营。杜松却自作主张，让人测河水多深，一看不到马肚子深，居然脱掉衣服，光着身子骑马过河。士兵们看他这样，都很吃惊，让他穿上衣服，他却豪放地说："进入阵地，披坚执锐，全副武装，不是男子汉大丈夫。"

河水虽然不深，还是淹死了好几个人。渡河以后，杜松抓住了十四个女真人，又焚烧了几个堡寨，同时还让人回去报信，说有所斩获。仗还没打，满脑子想的全是如何邀功。

三月初一，杜松军已经到达萨尔浒山，这时其他各路军还在半路上，除了杜松本人，大家的积极性都不是很高。杜松孤军深入后，居然还将军队一分为二，一部分在萨尔浒山下安营，自己率领另一部分人马前去吉林崖，攻打界凡城。

杜松还没走多久，努尔哈赤就亲自率领六旗的人马来围攻萨尔浒山下的明军。明军也不是吃素的，既然来到这里，早就把脑袋绑在裤腰带上了。努尔哈赤一看，这帮明军还真是有备而来，火铳和大炮早已一字排开，就等努尔哈赤来攻了。努尔哈赤命令自己的先锋队伍冲，一时间，火光耀眼，炮声震天，八旗军被打得血肉模糊，肢体满天飞。不过，努尔哈赤丝毫不气馁，让先锋在前面冲，后面的骑兵负责射箭，那边枪炮隆隆，这边万箭齐发。努尔哈赤的兵力占绝对优势，只要靠近明军，这场战役就算结束了。

付出必要的代价后，努尔哈赤终于拔下了老虎的第一颗门牙。努尔哈赤没有沉浸在胜利的喜悦里，他知道这只是牛刀小试，更强的敌人还在后头。

努尔哈赤以极高的效率，率领军队来到吉林崖。此时，杜松正在攻打吉林崖山头上的伏兵，伏兵虽然只有五百人，但占据着有利的地势，居高临下，易守难攻。

就在杜松对着山头上大吼“女真贼子们，赶快束手投降，大爷可以饶你们不死……”时，忽然一个探子过来对他耳语：“不好了，总兵大人，我们在萨尔浒山下的军队全部被奴酋歼灭。”

杜松满脸通红：“奴酋不得好死……”

还没骂完，一个士兵大喊：“不好了，总兵大人，奴酋带人杀了过来。”

困在山上的女真士兵听说努尔哈赤杀过来了，立刻冲下山。杜松腹背受敌，不久就被敌人团团围住。杜松用兵虽然不高明，但也称得上是一条汉子，全军将士和敌人浴血奋战，全部战死。

杜松失败的消息传到中央政府，明皇帝和高官们纷纷扼腕叹息：杜松啊杜松，你咋就这么不争气呢！

这时，明皇帝发话了：“好了，好了，大家不要叹气了，还是总结一下经验吧，免得再犯类似的错误。”

大家你一言，我一言，终于总结出杜松的六大错。一、杜松这人刚愎自用——是啊，没事你冒进个啥；二、队伍错乱，为贼所击——不懂这些高官是如何知道队伍很乱，乱的标准又是怎样；三、杜松没有设立岗哨，被敌人诱惑而不自知——这一条说到点子上了；四、不会打仗，背水一战；五、轻骑深入，撇弃火枪兵；六、智不能料敌，谋不能服众。

失败后做个总结就像胜利后论功行赏一样，少了这一环节就不能算圆满。

三月初二这天，左翼北路的马林终于带着自己的人马来到了尚间崖。尚间崖距离萨尔浒山有三四十里，杜松全军覆没的消息马林也知道，看到士兵们士气低落的样子，马林宁愿他们不知道这个消息。

为了避免重蹈杜松的覆辙，马林不敢有丝毫懈怠，强打着精神督促士兵备战。他似乎有预感，努尔哈赤会找上自己，所以下令停止前进，就地安营扎寨。在这紧张的关头，马林灵感闪现，发明了一个方阵，方阵的最里面有三道土壕，土壕最外层是骑兵，骑兵的外层是火枪兵，里三层全是精兵。整个工事进行了布置，毕竟到了这要命的关头，一旦出事，死的是自己，不是别人。

除此之外，在尚间崖的西面有山，山上还驻扎着两个大营。马林认为，这种三角之势固若金汤，八旗军想拿下来不太可能。三角形是最稳定的一种形状，马林的想法从理论上来说是有根据的。

只可惜，这是打仗，三角形是死的，人却是活的。努尔哈赤也看出了马林的企图，所以他想先折断其中最弱的一条腿。这条腿就是驻扎在山上的一个大营——龚念遂的部队。龚念遂这支部队属于重装部队，大炮、辎重、火器特别多。龚念遂部大概有一万人，还有许多门枪炮。令人吃惊的是，他居然被皇太极一千人拿下了。

怎么会这样？

这就体现出努尔哈赤的战术了，他并没有让士兵们一窝蜂地冲上去，接受对方炮火的洗礼。他让皇太极挑选一千骑兵，也就是敢死队，从中打开一个缺口，然后八旗兵从缺口中涌进，这样等于是把敌人的大炮和火枪废掉了，胜利再次属于努尔哈赤。对于明军，这又是一场悲剧。

拿掉龚念遂后，努尔哈赤带领几个人登上山顶，看到马林的队伍防守严整，命令士兵们停止攻打山上，下马作战。这次明军失败还是因为同一个原因：让八旗兵近身了。八旗兵能征善战，一旦近身，明军的火器就彻底失去作用。

马林倒也是个聪明人，看到八旗兵冲过来，自己抢先一步逃跑。主将逃跑了，这仗还有得打吗？有，因为副将麻岩还坚持在第一线，可惜，麻岩不久战死。这仗真的没法打了，明军开始了大逃亡，死伤枕藉。

解决马林后，就剩下潘宗颜驻扎在山上的部队了。现在我们大概也知道明军为什么会败得如此狼狈啦，三支部队就像三条腿，但这三条腿各自走动，根本谈不上任何配合。而且，他们没有共同的作战目标，只是等着敌人到来。

所以，毫无悬念，潘宗颜部全军覆没。

歼灭明朝两路大军后，努尔哈赤见好就收，回到大本营，犒赏八旗子弟。还没休息多久，努尔哈赤就得到消息，刘𬘩和李如柏正在快马加鞭赶往赫图阿拉。努尔哈赤并不慌张，先命扈尔汉率领一千精兵前去阻延，接着又派二贝勒阿敏带着两千人马援助扈尔汉。这只是前奏，两道命令发出不久，努尔哈赤就任命大贝勒代善、三贝勒莽古尔泰、四贝勒皇太极率领大军给刘𬘩一个迎头痛击。努尔哈赤亲自带着四千人守着赫图阿拉，抵御李如柏的部队。

有人或许会奇怪了，努尔哈赤为什么把大部分的兵力用来对付刘𬘩呢？这是因为他对刘𬘩这个人比较了解，刘𬘩很早就参军了，是一个职业军人，不仅会打仗，自身的武艺也非常了得，一双大刀挥起来没几人敢上前。世人又称他为刘大刀，刘大刀不怕打仗，就怕被人逼着打仗。

这次出征，有点儿被明朝统治者赶鸭子上架的味道，所以他心里也不爽，只想快点儿杀敌。刘𬘩果然是个狠角色，看到女真人就杀，不论老弱妇孺还是残疾人，总之心中这口恶气得出。这口恶气既是女真人造成的，也是大明的统治者造成的，但出气的对象是女真人。

代善、阿敏、皇太极在阿布达里岗设下埋伏，当刘𬘩的部队进入这片山林之中时，伏兵四起。刘𬘩和养子刘招孙力战而死。明朝又一路大军灰飞烟灭。

坐镇辽阳的杨镐得知三路大军全部覆灭的消息非常震惊，也算他有自知之明，立即命令李如柏的军队撤退。李如柏本来就是个胆小鬼，听到撤军的消息欣喜若狂，撤军的速度比进军的速度快多了，就在班师的途中碰到后金的一队哨兵，也就几十人的样子。这些哨兵故意装作后面有大军的样子，明军惊慌逃窜，居然被几十人的巡逻兵斩杀了四五十人。接着是一路逃窜，还踩死了一些人。

萨尔浒之战，明军大败，而且败得一塌糊涂，整个朝廷都感到震惊。但很少有人反思，泱泱大国为什么这么不堪一击。这场大败是明朝灭亡的一个征兆。

从此，明朝和后金的关系发生逆转。明朝变成防守的一方，后金变成进攻的一方。

大明的灾难才刚刚开始，而它的灾难从某种意义上来说是咎由自取的。落后就要挨打，腐败就要灭亡，这是亘古不变的铁律。

处理朝鲜问题

萨尔浒大战胜利后，努尔哈赤面临一个问题：如何处理朝鲜问题？

我们知道，在萨尔浒之战中，朝鲜被明军胁迫，也派了一万三千人攻打努尔哈赤。朝鲜既是明朝的属国，也是一柄可以插入后金后院的尖刀。试想一下，努尔哈赤忙着跟明朝打仗，忽然老家被人端了，老婆孩子被人抢走了，这仗能打得安心吗？

所以，对朝鲜得认真对待，不能让它捅娄子。朝鲜是明朝的“跟屁虫”，明朝鄙视努尔哈赤，朝鲜就两倍鄙视努尔哈赤。朝鲜还经常称呼后金女真族为“贼”“女真小丑”等。

萨尔浒之战，朝鲜元帅姜宏立听说明军覆没的消息后很惊慌。惊慌之后，他马上知道，现在不能跟后金作对，必须跟他们讲和。姜宏立暗中派人去联系后金，说是愿意求和。

四大贝勒收到姜宏立的信，给了他一个答复：“投降的话就派主将过来，否则开战吧！”

第二天，姜宏立就带着五千人马过来投降，对于投降的人，努尔哈赤总是欢迎的。他郑重地接待了他们，好酒好肉吃完之后，努尔哈赤修书一封，让朝鲜人带回国内。在国书中，努尔哈赤口气比较狂，现在我打败了明朝军队，还俘虏了你们的将领，你们以后是愿意为明朝办事，还是愿意为我办事呢？

两个月后，朝鲜才派使者答复。朝鲜在国书中详细陈述和明朝的关系，说明朝好比是朝鲜的父亲，你的要求我们实在办不到，不过我们愿意与你友好相处，互不侵犯。

朝鲜虽然打太极，互不得罪，但努尔哈赤还是比较满意，至少互不侵犯，以后可以放心收拾明朝了。

搞定朝鲜后，努尔哈赤开始打开原和铁岭的主意。说实话，萨尔浒战役让明朝上下胆战心惊，不管是当官的还是老百姓都非常惊慌，不少官员已经安排家属到南方去“度假”。言官们频频上奏章，但是大家都拿不出对抗后金的方案。怎么办？难不成就让这个烂摊子烂下去？

天命四年（1619年）六月初十，努尔哈赤率领四万八旗兵征讨开原，用突击战术攻下开原，上次那个逃跑的马林终于在开原战死。七月二十五日，努尔哈赤又率领五万精兵攻打铁岭。铁岭也是东北三镇之一，城池坚固，想当年李成梁就是镇守在这里。铁岭城军民死守，八旗军虽然损失颇大，最终还是拿下了铁岭。

八月，努尔哈赤又灭掉叶赫。这种打仗的效率确实非常惊人。

努尔哈赤正以迅雷不及掩耳之势崛起。

第十二章　命中克星袁崇焕

历史将证明，袁崇焕不仅是努尔哈赤的克星，也是皇太极的克星。然而，崇祯又是袁崇焕的克星，最终历史的车轮还是偏向清朝。

成功者的经验

边疆城池接二连三地失陷，让明神宗朱翊钧不得不进行认真的反思，他思前想后，觉得还是用人失误。于是，重新起用熊廷弼，赐给他尚方宝剑，让他担任辽东经略，掌管辽东的军政大事。

熊廷弼有真本领，在辽东整顿了一年，终于让形势好转。泰昌元年（1620 年）八月，明神宗病逝，太子朱常洛继位。可惜，朱常洛只做了一个月的皇帝，就因体虚难治后试服两粒红丸而死，这就是明史上有名的红丸案，这到底是不是一起谋杀案现在已经无从得知。

然而，就在朱常洛待在皇位上的一个月内，有人弹劾熊廷弼，熊廷弼受到钳制和责骂。朱常洛死后，他的长子朱由校继位，是为明熹宗。熊廷弼再次受到弹劾和攻讦，明熹宗不分青红皂白免去熊廷弼的官职，让袁应泰担任辽东经略。袁应泰是个志大才疏的人，到任之后，把辽东搞得一团糟。

努尔哈赤看明朝随意易帅，军纪松弛，决定攻打沈阳。天命六年（1621 年）三月十日，努尔哈赤率领八旗军倾巢而出，用计再次拿下沈阳城。努尔哈赤的计谋之所以得逞，是因为沈阳总兵贺世贤有勇无谋。努尔哈赤先让他们取得一些小胜利，最后派兵叫战，贺世贤正喝着酒，带醉提刀出战。沈阳城被攻下后，七万明军被屠杀。

攻下沈阳后，努尔哈赤又击溃明军的三支援兵。拿下沈阳后，努尔哈赤直指辽阳，三月二十一日，又攻陷辽阳。从攻打沈阳到攻陷辽阳，前后不过十多天的时间，努尔哈赤用兵之神速实在让人吃惊。不过，明军的勇气是值得嘉奖的，辽阳的守兵没有一个投降，全部战死。随后，努尔哈赤迁都辽阳。

沈阳和辽阳一陷落，明廷大为震动，而后，马上有人建议重新起用熊廷弼。明熹宗采纳了这个建议，任熊廷弼为兵部侍郎，并承认自己以前是听信了流言。明熹宗的意思很明显：熊老先生，你别跟我这个年轻人计较了。

应该说明熹宗刚开始的表现还是不错的，上台后果断铲除阉党，得知辽东危急，不惜认错请熊廷弼出山，还赐给熊廷弼尚方宝剑，给予他副总以下先斩后奏的权力。为了保证辽东官兵打好这场仗，他紧急拨出两百万两白银，不久又追加了两百万两，运了粮食和豆类一百多万担。

熊廷弼镇守山海关，总兵力有三十五万以上。应该说，对付努尔哈赤那点儿八旗兵是绰绰有余的，但是这里面有一个问题，熊廷弼虽然是辽东名义上最高的领导，但朝廷并不信任他，而更信任他的下级——辽东巡抚王化贞。熊廷弼和王化贞两人不合，结果是身为下级的王化贞掌握着三十多万的兵马，而熊廷弼只能调动有限的人马。这个结果实在让人大跌眼镜，如果王化贞是一个优秀的将领和统帅的话，也还好说，关键是王化贞这个人不太会打仗，而且轻敌。

天命七年（1622年）正月十八日，努尔哈赤征讨广宁，首先包围了西平堡。由于熊廷弼布置得挺严密，努尔哈赤付出惨重代价后才拿下西平堡。随后，努尔哈赤进攻广宁，这时戏剧性的一幕出现了，广宁的中军游击孙得功是一个叛徒，他打开城门，放努尔哈赤进城，广宁陷落。接着，一连串的小城望风而降。

春风满面的努尔哈赤不忘教育自己的子孙："治国者千万不能以为自己很了不起，这样只会让老天愤怒。一个人再有能耐也比不上大家的智慧，今后由你们八个贝勒执政，共同为国效力。"

努尔哈赤的意思用现在的话来说就是，有什么事大家商量，千万不要独断。

努尔哈赤攻陷辽东后，对汉人实行高压政策，激起了汉人的激烈反抗。

汉人反抗的方式有很多，最普遍的方式是逃亡。由于努尔哈赤一路屠杀，许多汉人闻风丧胆，即使被迫投降，也在等待机会逃跑。根据粗略的估计，逃亡到关内的汉人就有上百万，逃到朝鲜的有几十万，逃到海岛上的也有几十万，另有几万人逃到山东。

第二种反抗方式是投毒，努尔哈赤经常发现都城辽阳的水井里面有毒，后来在一些食物中甚至也发现了毒药。这些事情搞得努尔哈赤草木皆兵，非常痛苦。

第三种反抗方式是叛杀，许多汉人投降后受到压迫和虐待，有些人忍无可忍，只好杀害八旗兵。努尔哈赤对此非常气愤，他说："我占领辽东后，我对这些投降的人已经很不错了，给他们房子，给他们田地，给他们牲畜，没有霸占他们任何东西，他们为什么还要叛变呢？"

第四种方式最激进——暴动。由于努尔哈赤强令所有汉人剃头发，遭到了汉人的激烈反抗，甚至出现群体性的暴动事件。

泼胆汉袁崇焕

天命十年（1625年），努尔哈赤迁都沈阳。努尔哈赤迁都沈阳的目的是入主中原，当然，要入主中原，他首先要打下宁远。

宁远孤悬山海关之外，距离山海关有两百里。这块地方就像一个跳板，向来是兵家必争之地。宁远可以算是山海关的门户，只有打通了这块地方，才能进入山海关。

这时，明朝兵部尚书兼东阁大学士孙承宗主管辽东边事。孙承宗也是一个脾气很硬的人，他主张积极对敌作战，收复城池，受到明熹宗的欣赏，给了他一把尚方宝剑。明朝的尚方宝剑是非常廉价的，没过多久，孙承宗就受到阉党的排挤，不得不告老还乡。不过，他培养出一大批人才，如袁崇焕、满桂、祖大寿等。

孙承宗下台后，阉党派的高第上位。高第对后金非常畏惧，他下令关外的兵民全部撤退到关内，把宁远给敌人算了。这一政策遭到袁崇焕的坚决抵制，宁远兵民拒绝撤退。不过，宁远周边小城堡的军民全部撤到了关内。

我们知道，宁远之所以能坚持不退，是因为有袁崇焕这样一个骨头很硬的英雄。

袁崇焕，万历十二年（1584 年）出生于广东东莞，万历四十七年（1619 年）考中进士。后担任过福建邵武知县，本来只是个芝麻绿豆大的官，但他一直关心边事，对朝廷在边疆事务的软弱无能深感愤怒。明天启二年（1622 年），他利用进京朝觐的机会，单骑出关，查看边境，是一个脚踏实地的书生。

回京后，袁崇焕对明熹宗立下了豪言壮语："只要给我马匹、金钱和谷物，我一个人就可以守住边关。"也许是这种自信感染了血气方刚的明熹宗，明熹宗提升他为佥事，做山海关外的监军。袁崇焕后来又升为宁前兵备佥事。

眼见努尔哈赤大兵将至，袁崇焕面临着多大的压力我们简直无法想象。一个从未打过仗的书生面对的是在战场上出生入死多年的努尔哈赤，这还不是最要命的，最要命的是后面那个昏庸多疑的明熹宗和一帮指手画脚，专好整人的大臣和阉党。这仗看起来是没法打的，简直没有太多悬念。

考验袁崇焕是庸人还是英雄的时候到了！

事实证明，袁崇焕是个英雄。百战百胜的努尔哈赤居然面对一个文弱书生三战三败，乃至于最后送掉了自己的性命。这种奇迹似乎不太可能发生，可是的确发生了。

在袁崇焕身上，我们看到信仰与意志的力量一旦和认真负责的做事态度紧密结合会激发出多么强大的力量，这种力量无坚不摧。可惜，拥有这种力量的人常常是众矢之的。袁崇焕这样的泼胆汉肯定是越来越少。

袁崇焕第一步是要加固宁远城，在他看来，只有把宁远城修得坚固，山海关的安全系数才有保障。朝中大臣全一边倒地反对，他们觉得宁远距离山海关太远，八旗军那么猛，肯定是守不住的，干脆退回关内，将所有力量凝聚在一起比较好。

幸好孙承宗了解形势，极力支持他。为了修好城墙，袁崇焕亲自定下标准，亲自监督，终于把一个原本不受人重视的宁远变成一个关外重镇。

幸运的是，袁崇焕还有一个好搭档——满桂。满桂是蒙古人，骁勇善战那是不在话下。从袁崇焕镇守宁远开始，满桂的命运就和袁崇焕的命运紧紧地联系在一起。袁崇焕虽然是文官出身，但骨子刚硬；满桂是蒙古武将，脾气也很直。这两个人的合作虽然一点儿都不安静，经常发生激烈的争吵，但尽管如此，他们之间的合作却是和谐的。发生争吵不代表不和谐，一团和气也不代表和谐。两人拍桌子大吼大叫是家常便饭，甚至到死，两人还在争吵。

但是，两人在内心深处却是惺惺相惜，互相敬重。他们知道，在战场上彼此都不可缺少，袁崇焕是一个高明的战略家，满桂是一个英勇的实战派，互相弥补，共同前进。

袁崇焕治军也是相当有魄力的，从一件小事中可以看出端倪。他发现一名校官虚报兵额，贪吞军饷，当即牛脾气发作，把这个校官给杀了。他这个做法无疑让自己的导师孙承宗大怒，怒也是为他好，因为袁崇焕当时无权擅自处斩军官。后来，袁崇焕没有经过崇祯同意就杀掉毛文龙，为自己的死亡埋下伏笔。所以，做人得低调，哪怕做正确的事情也得低调，不低调容易给自己招来祸端。

袁崇焕不愧是袁崇焕，他修建的宁远城确实比金汤还要坚固。一直抵挡着八旗军的铁骑，如果没有吴三桂把清军引入关内，估计清军想入关不知要等到猴年马月。

袁崇焕不只是说空话，还推出一系列计划，将工作具体实施，落实到人。而且，袁崇焕特别能鼓舞大家的士气。他明确说道："本道定与此城共存亡。"碰上这样一个有骨气的领导，将领们也纷纷表示与袁大人共存亡。

明天启六年（1626年）正月十四日，努尔哈赤纠集大军进攻宁远。在努尔哈赤的眼里，宁远只是个小城，应该不会费太大的力气。闻知努尔哈赤大军来袭，袁崇焕割自己手臂的血作书，誓与众将士坚守城池。

当时，宁远城内守军不过两万，袁崇焕是总指挥，满桂是总兵，左辅是副将，祖大寿是参将。共有四面城门，满桂守东面城门，左辅守西面，祖大寿守南面，朱梅守北面。

二十三日，努尔哈赤领军五万抵达宁远城外。努尔哈赤还是用老招数，先让人招降，扬言说我带了二十万大军，你们不投降的话，我就踩平宁远；投降的话，好处少不了你们。袁崇焕不客气地回道：你来搞侵略，还虚张声势，我袁崇焕不是被吓大的，要打就打，何必废话。

努尔哈赤听了大怒，好你个袁崇焕，不知从哪里冒出来的，居然这么不给我面子，好，那我就打了。八旗军派出最精锐的士兵，推着双轮车，向城墙靠近，他们用铁锥砸城墙，砸破了十几处，城池依然稳固。此时，站在城楼上的袁崇焕下令开炮，十一尊西洋大炮轰隆隆地发出炮弹，轰死了不少的八旗官兵。袁崇焕又命令用木棉、硝黄和松脂混在一起，烧死城墙下的士兵，又杀了千余人。

努尔哈赤一看，不对啊，袁崇焕这厮是个内行，赶快命令部队撤退。

休整之后，第二次努尔哈赤攻东门，城没有攻下来，又死了一大批人。第三次攻城的时候，努尔哈赤可能是被炮弹的一个碎片击伤。眼看伤亡惨重，城池却岿然不动，努尔哈赤只好怏怏而归，宁远之役是努尔哈赤一生中最大的耻辱，这一年努尔哈赤六十七岁。

战事结束后，袁崇焕让人去城下看情况，捡到十万支箭，城墙上被八旗军挖出了七十多个洞。而此时，城内的火药和弹药已经用完，袁崇焕捏了一把汗：幸好挺过来了。

努尔哈赤这辈子也够冤的，打了一辈子胜仗，结果临到步入阎王殿之前吃了一次大败仗。回去之后，努尔哈赤很郁闷，身上的伤还是小事，心中的那块伤疤始终无法解开。他搞不懂，凭啥袁崇焕这个手无缚鸡之力的书生能把自己打败？

据说，努尔哈赤因此结了一块心病，从此吃饭不香、睡觉不酣，越想越气，乃至于看啥啥都不顺眼，最后一命呜呼了事，甚至在生前都未交代后事。

历史将证明，袁崇焕不仅是努尔哈赤的克星，也是皇太极的克星。然而，崇祯又是袁崇焕的克星，最终历史的车轮还是偏向清朝。

努尔哈赤死后，并没有指定接班人，而是希望几个贝勒集体领导。袁崇焕因为这一仗一下子升到兵部右侍郎，为袁崇焕高兴的同时，我们也为他捏了一把汗。但我们已经知道历史的结果，所以更多的是惋惜。

宁远之役前，袁崇焕确实是个名不见经传的小人物，但宁远之役后，那就不一样了。袁崇焕一下子就红了，成了大明家喻户晓的人物。

下篇

雄才大略的皇太极

第一章　他叫皇太极

努尔哈赤看这个孩子过于文雅，怕他将来性格柔弱，便经常带他去狩猎。在狩猎的过程中，皇太极练就了骑射的本领，据说他的箭术相当高超。

阿巴亥之死

人们常说失败乃成功之母，这话对努尔哈赤肯定不管用，因为努尔哈赤是一个常胜的将才，而失败为成功之母是用来安慰那些经常失败的人的。再说，努尔哈赤已经步入晚年，失败了就是失败了，想要雪耻不太可能。

失败并不可怕，可怕的是一个人不能从失败的阴影里走出来。努尔哈赤临死前感觉身体不舒服，急召大妃阿巴亥来见，八月十一日，背痈发作而死，享年六十有七。努尔哈赤是病死的，临死前只有大妃阿巴亥在他身边，史书记载说努尔哈赤让她殉夫。

阿巴亥是努尔哈赤最年轻、最漂亮的一个老婆，十二岁被人当作礼物送给努尔哈赤，长大后出落成一个绝世美女。努尔哈赤最为宠爱阿巴亥，阿巴亥也特别争气，接连生出阿济格、多尔衮和多铎三个小子。虽然努尔哈赤特别喜欢阿巴亥，但阿巴亥却不怎么喜欢努尔哈赤。

努尔哈赤让阿巴亥殉夫，这事能相信吗？

据说，努尔哈赤临死前准备把汗位传给多尔衮。这个说法可信吗？我们不知道。但我们知道的是努尔哈赤临死前只有阿巴亥在场，所以这个话肯定是从阿巴亥口中传出来的。不过，努尔哈赤生前最喜欢多尔衮倒是事实，因为多尔衮这小子特别聪明。

阿巴亥的三个儿子，一人手中掌握着一旗的兵力，总共才八旗，她一家就占了三个。再加上，阿巴亥是一个聪明美貌、工于心计的女人，所以毫无疑问让其他贝勒没有安全感。权力斗争向来是你死我活的，一旦阿巴亥掌权，其他贝勒还有没有活路都是未知的。所以，他们果断地站在一起，甚至包括跟阿巴亥有私情的人，这时为了共同的利益都站到了阿巴亥的对立面。

皇太极是个政治斗争的高手，带着大家一起来到阿巴亥面前，说什么父皇有遗命，让大妃殉夫。阿巴亥心想，搞错没有，让我死，我都为他生了三个孩子。阿巴亥支支吾吾，企图搪塞过去，但是皇太极岂是这么好忽悠的，厉声说道：“我们也只好遵循父皇的遗命办事！”阿巴亥含着一双泪眼望着这些贝勒：“我不想死，我还得照顾我的孩子。”

这时，皇太极带头下跪，地上跪满了贝勒：“父汗遗命，请大妃遵守。”

阿巴亥终于明白，自己不死，他们是不会放手的，她恨恨地看了大贝勒代善一眼，代善眼睛一直盯着地上，没说半句话。事到如今，阿巴亥知道只能去死了。

阿巴亥提出最后一个要求：“死可以，但允许我打扮得漂漂亮亮，也好去地下见大汗。还有，我两个孩子多尔衮和多铎还小，希望各位贝勒善待他们。”

皇太极说：“这个大妃可以完全放心，我们一定会好好照顾两个弟弟的。”

一代美女阿巴亥就此香消玉殒，享年三十六岁。这实际上是一场政治谋杀，因为以皇太极为首的贝勒已经充分意识到，阿巴亥如果不死的话，将是一个重大的威胁。

除掉阿巴亥只是皇太极通往最高权力的第一步，正所谓“万里长征从头开始”。皇太极是努尔哈赤第八个儿子，俗称皇八，前面有一大堆老谋深算的哥哥，后面有一堆愤愤不平的弟弟，如何摆平前狼后虎，实在太考验皇太极的智慧了。事实证明，皇太极是经得起考验的。

皇太极登上大位

在了解皇太极这个人之前，我们先来了解皇太极的出身。皇太极的生母是叶赫那拉氏，也就是努尔哈赤死对头叶赫部首领纳林布禄的妹妹，名叫孟古哲哲，她的哥哥布寨曾经参加九部联军攻打努尔哈赤，最后被杀死。叶赫部请求归还尸体，努尔哈赤割了一半尸体还给叶赫部。

这么一看，我们就发现皇太极这个人的出身真不好，不过是努尔哈赤战利品的副产品。所以，皇太极从一出生就是带着心理包袱的，这就意味着他要比别的兄弟更努力，才能得到努尔哈赤的欣赏和信赖。

皇太极从小就比较爱读书，七岁的时候努尔哈赤让他管理家里的账，这在努尔哈赤的儿子中是比较少见的。书籍开拓了皇太极的眼界，也加深了他的城府。

十一岁的时候，皇太极的生母去世。二十岁的时候，皇太极就提刀上战场。三十三岁的时候，皇太极挤掉一个个政治对手。三十四岁的时候，皇太极继承汗位。执政十七年，五十一岁的时候暴毙，死因至今是个谜。

皇太极如何登上皇位一直是个谜，但有一点可以肯定的是，皇太极确实是努尔哈赤儿子中最为厉害的一个。

当时，中国这片古老的土地上有四个巨头。首先是朱元璋的后代崇祯皇帝，虽然治国一塌糊涂，但是百足之虫，死而不僵；另一个是陕西豪杰李自成，闯王一路闯来，号称有百万之师；还有一个是蒙古察哈尔部的林丹汗，这个人自称拥兵四十万；最后就是皇太极了。这些人个个都不是省油的灯，结果蒙古的林丹汗在青海病死；崇祯皇帝逼死皇后，砍伤女儿，自己在煤山上吊；李自成在九宫山战死。

笑到最后的是皇太极和他的子孙们。皇太极成为最大赢家有运气因素，但更多的还是技高一筹。

皇太极在政治上有四步高妙的棋。

首先，他纠正了父亲错误的民族政策。在努尔哈赤后期，对汉人采取了高压政策。皇太极觉得这样不好，只会激起汉人更激烈的反抗，对入主中原很不利。当然，我们不要指望皇太极提出满汉平等，但他提出善待汉人。在皇太极的治理下，汉人不再是奴仆，而是人民。对于逃跑的人，皇太极也主张顺其自然，不要严惩。

对于汉族官员，皇太极给予了一些优惠政策。以前，汉族的官员位居满族大臣之下，有种种限制，甚至病故后，妻子还要给贝勒们做奴仆。皇太极说这是不人道的，采取一系列措施提升汉族官员的待遇，重用谋臣范文程就是一个极好的例子。遇到疑难问题，皇太极就问："范章京是怎么看的？"

其次，皇太极有两大发明。先是改族名为满洲，后是改国号为大清。不要小看这两次改名，这等于是为自己的集团作宣传。

再次，先打掉二贝勒集团，再打掉三贝勒莽古尔泰集团，然后挟持大贝勒代善，废除集体领导制，自己唱主角。此外，皇太极还进一步完善八旗制度，设置了八旗汉军和八旗蒙古军。皇太极还仿效明朝设置了“三院六部二衙门”。

最后，皇太极汲取父亲的教训，加上自己几次和袁崇焕对决都失败的情况下，认识到红衣大炮的重要性。红衣大炮原本叫红夷大炮，因为是西洋人造的，所以有这么一个称呼；但满族人看到“夷”字非常不爽，后来掌权后也掌握了话语权，改红夷大炮为红衣大炮。知道了大炮的重要性，皇太极在沈阳也开了一个工厂，仿制这种大炮。

这些都是后来的事情，我们现在最关心的是皇太极如何踩在三大贝勒的头上上位的。可以说为了当上领导人，皇太极是下了很大的苦功夫的。

女真这些游牧民族并没有嫡长子继承制，这就给了皇太极一个机会，虽然机会从一开始都是渺茫的。当时并没有一个明确的继承制度，努尔哈赤生前的意思是谁有能力谁上，但能力这个事没有硬性的标准，人都认为自己有能力。

当时有四个贝勒掌握着大权，皇太极要做的是用排除法，将三个贝勒一一排除掉。努尔哈赤曾经在生前幽囚舒尔哈齐，二贝勒阿敏是舒尔哈齐的儿子，所以汗位他是没有资格染指的，再加上他自己也犯下了一些过错。三贝勒莽古尔泰是皇太极的五哥，脾气暴躁，性格冲动，有勇无谋，之前曾杀死自己的母亲邀宠，所以很让人看不起，这样的人没什么威信，对汗位不会构成竞争威胁。

皇太极登上宝座的最大障碍是大贝勒代善，代善既有资格，也有威望，是可以继承汗位的。代善不仅立有许多军功，手中掌握着强大的兵权，而且为人宽和，有长者之风，深得人心。努尔哈赤生前对代善也是相当的倚重，所以皇太极要想和代善争夺汗位难度很大。

然而，我们前面讲到的一个故事却有助于皇太极继承汗位。大福晋送饭给代善吃，代善傻呵呵地就吃了，但皇太极虽然接受了饭食，却并不吃，也就是两边不得罪，既不得罪大福晋，也不得罪老爸。这个秀作得那是相当的好，似乎是告诉世人，我皇八是个知大体、懂道德的人。这事情，在满洲贵族里闹得风风雨雨，代善的威望和声价陡然降低不少，争夺汗位的筹码一下子少了许多。所以，小福晋告发大福晋，很让人怀疑是皇太极在背后指使的。

皇太极就是这么一步步登上大位的。执政初期，四大贝勒并肩而坐，共同处理军国大事，相当于集体领导制。这肯定让皇太极很不舒服，打掉其他集团那是迟早的事。皇太极很轻松地打掉了二贝勒和三贝勒，代善是个聪明人，看情形不对，主动提出退出领导班子。

第二个巨人

万历二十年（1592 年），努尔哈赤的都城费阿拉诞生了一个婴儿。此人便是努尔哈赤的第八子皇太极。

《清太宗实录》说皇太极这个人长得非常伟岸，龙行虎步，有帝王之相。皇太极究竟长得啥样，我们不知道，但显然《清太宗实录》不会说皇太极长得贼眉鼠眼。

皇太极的母亲孟古哲哲是政治联姻的牺牲品，当时努尔哈赤发展势头强劲，叶赫部不是其对手，首领只好将妹子嫁给努尔哈赤，以遏制他扩张的势头。孟古哲哲嫁过来的时候只有十四岁，四年后生下了皇太极。1603 年秋天，孟古哲哲病重，思念远在叶赫的母亲，很想见一面。努尔哈赤派出使者到叶赫，希望能接岳母来费阿拉城。可惜，纳林布禄断然拒绝，大家知道纳林布禄和努尔哈赤的梁子非常深。以前，纳林布禄让努尔哈赤归还弟弟的尸体，努尔哈赤却把尸体切成两半，归还了一半。皇太极的母亲因此满怀遗憾地死去，年仅二十八岁。

皇太极称帝后，追尊母亲为孝慈皇后，但是他母亲生前是没有当上大福晋的，只当了侧福晋。

关于皇太极的幼年，《清太宗实录》里只有一段话："性嗜典籍，披览弗倦。自幼命名皇太极，太祖甚钟爱焉。甫三龄，颖悟过人。七龄之后，太祖委以一切家政。不烦指示，即能赞理，巨细悉当。及长，益加器重。”

从中我们能看出皇太极确实很不一般，小时候是个心思缜密、爱读书会管理的早熟孩子。

努尔哈赤看这个孩子过于文雅，怕他将来性格柔弱，便经常带他去狩猎。在狩猎的过程中，皇太极练就了骑射的本领，据说他的箭术相当高超。

从二十岁起，皇太极就随父亲征伐。皇太极参加的第一次战役是1612年攻打乌拉的战役，皇太极和五哥莽古尔泰表现都非常不错，只是在渡河的时候有些心浮气躁。努尔哈赤给他们上了一堂出色的军事课，甚至可以说是人生课，就是前面提到的砍一棵大树从弱枝砍起。

应该说，皇太极带兵打仗的本领也是不错的，不过他的拿手绝招还是政治斗争。在政治上，皇太极那是相当的敏感。努尔哈赤与弟弟舒尔哈齐发生政治冲突的时候，皇太极二话没说就站在了父亲这边。后来，努尔哈赤又与长子褚英发生权力冲突，皇太极又站对了边。说实话，这些给了努尔哈赤很深的印象。也许，从那时起他就知道这个孩子将来是个了不得的人物。

正因为这些出色的表现，二十四岁的时候，皇太极就进入决策层，成为四贝勒之一。

谋略是皇太极一生中最重要的武器，他可以算得上是一个智力型的英雄。

第二章　治国奇才

一个执政者如果让广大劳动人民生活在水深火热之中是不会有好下场的，皇太极很早就领悟到这点。为了政权的稳定，他决定先缓和民族矛盾，接连发出了三道上谕。

更像是汉人的领导者

努尔哈赤留下了一个大摊子，能够守住这个大摊子就算不错了，然而皇太极的目标却不止于此。当然，为了实现入主中原的梦想，他必须先稳定这个摊子。

我们知道，对汉人烧杀抢掠，必然会激起汉民的愤怒。皇太极觉得让别人怨恨不是好事情，应该安抚，所以他提出了让满洲人大跌眼镜的仁政。

努尔哈赤的民族政策除了激化民族矛盾，并不能带来长远的利益。汉民受尽痛苦，整日生活在悲惨和恐惧中，一个执政者如果让广大劳动人民生活在水深火热之中是不会有好下场的，皇太极很早就领悟到这点。为了政权的稳定，他决定先缓和民族矛盾，接连发出了三道上谕。

第一道上谕是登基后第五天发布的：以前打算叛逃并和奸细有来往的汉民，事情属于过去，一律不追究；即使被人举报，也不处置；只有已经在逃被捉拿缉获的汉人才处死，没有逃跑的，即使被人举报，也不论罪。

皇太极这道上谕里有一个特别时髦的思想，估计连皇太极自已都没发现。也就是不以思想论罪，换句话说，你想逃跑没罪；只以行动论罪，你逃跑了才有罪。这个思想是有前瞻性的，和现代的法律精神符合。皇太极不愧是一个杰出的政治家，唯一的遗憾是死得太早。

皇太极的第二道上谕就比较长，讲了经济生活的方方面面，无非就是说从今往后，汉人和满人同属一体，没有贵贱之分，都是我皇太极的子民。这就意味着汉人和满人至少取得了名义上平等的地位。

皇太极的第三道上谕相当于给汉人解放，在努尔哈赤时代，有许多汉族的壮丁沦为大清贵族的奴仆。皇太极担心这些为奴的汉人受贵族欺负，决定把他们编为民户，给他们田地、给他们牛，让他们自力更生。

皇太极这一系列措施让汉人重新享受到自由民的感觉，极大地缓和了民族矛盾。

皇太极这么优待汉人，除了是为统治阶级自身的利益着想之外，也有部分因素是他深受汉文化的影响。从文化性格上来讲，皇太极更像是一个汉人领导者。

“汉化”是皇太极治国的一个重要方针，也是大清最后能够入主中原的一个至关重要的战略。

缓和民族矛盾后，皇太极致力于政治改革。皇太极读的书越多就越看不惯八旗的官僚制度，他觉得八旗官制一片混乱，有必要进行一些改革。皇太极实行政治改革有两大目的，首先是维护自己的权力，其次是完善国家体制。

皇太极第一个动作是让八旗旗主兼任议政大臣，如何理解皇太极这个动作呢？其中到底有没有什么深意？从前，在努尔哈赤时代，只有四个旗主有议政的资格，也就是四大贝勒。皇太极此举貌似是分权，将更多的权力下放。其实不是这样的，在皇太极眼里，大贝勒代善、二贝勒阿敏、三贝勒莽古尔泰都是自己的障碍，他所以让八旗旗主都有议政资格，就是为了将这三大贝勒搞成少数派，这些享有议政资格的旗主显然对皇太极怀着感激之心。这样一来，皇太极不但没有放权，反而等于是收权了。

皇太极的第二个动作是每旗设两个佐管大臣和调遣大臣。佐管大臣负责管理，处理政务和司法问题，相当于文官，不用带兵打仗。调遣大臣专门负责军事事务，并管理辖区内的刑事案件，如杀人、暴动之类的。

皇太极仿佛还觉得议政大臣不够多似的，后来每旗又增加了三名议政大臣。皇太极对此的解释是："有很多懂政治懂治国的贤人，如果不让这些人来议政的话，实在是国家的一大损失。"

皇太极这些政策一出台，全国人民都说好。可见，皇太极在宣传这一块也是下足了功夫的。

皇太极自然谦虚地说："大家好才是真的好，我也是汲取劳动人民的智慧才想出这些点子的。"

看大家兴致这么高，皇太极决定再搞几个项目。首先设立了文馆，相当于翰林院或者国家图书馆，主要任务是翻译汉文化经典，记录国家政事。文馆里刚开始有十名饱学之士，这些饱学之士整日沉浸在故纸堆里，研究中国历代帝王的得失。皇太极一有问题就来咨询这些博士。

皇太极第二个项目是设六部。皇太极说，明朝虽然腐败，但是它的一些部门机构还是好的，六部就是个好东西，应该拿过来用。所谓六部，就是吏部、户部、礼部、兵部、刑部和工部。六部交由六个贝勒负责，这些贝勒全部听命于皇太极。

文化这东西是免费的，物美价廉，所以可以放心地用。皇太极秉着这样的精神又模仿明朝设立三院：内三院、都察院、理藩院。

内三院主要是搞文史这块的，分为内国史院、内秘书院和内宏文院。大名鼎鼎的范文程就是内秘书院的大学士。

都察院相当于御史台，这些大臣拥有弹劾诤谏的权力，皇太极的目的是用他们来监督各级官员，以维护自己至高无上的权威。

理藩院是蒙古衙门演变而来的，目前还只是处理蒙古问题，随着皇太极业务的扩大，处理的问题会越来越多，权力也会越来越大。

皇太极：汉官们，你们有福了

努尔哈赤是看不起汉族官员的，他之所以一度优待汉族官员，只是为了“不战而屈人之兵”。换句话说，赤裸裸地在利用别人而已。

汉族官员刚开始受到重用的时候，感觉努尔哈赤这人很不错，后来被歧视，才发现努尔哈赤把人当猴耍。

范文程是这批招降汉官中的一个典范。他出身名门，曾祖在嘉靖皇帝期间当过兵部尚书，祖父是沈阳卫指挥同知。

努尔哈赤发现范文程颇有戏剧性。攻克抚顺后，当时年仅二十一岁的范文程成为俘虏。范文程和其他十六名秀才已经被押到刑场上，准备斩首。努尔哈赤突发奇想，问这些人：“你们会不会识字？”秀才们答道：“我们是生员。”生员就是读书人的意思。努尔哈赤一听，喜上心头，当即把这些人放了，全部录用。

范文程一路做到大学士这个位置，由于他身份比较特殊，是名臣范仲淹的后代，努尔哈赤经常对人说：“小范是名臣的子孙，应该尊重。”

但是随着投降的汉族官员越来越多，努尔哈赤就越来越不重视了，逐渐把他们当成俘虏来看待，把这些汉族官员给贝勒和大臣们当奴仆。

皇太极上台后，决定给这些汉族官员平反。皇太极为啥这样做？因为他知道能在明朝当上官儿的，甭管他官职大小，肚子里多少都有点儿墨水。所以，皇太极对汉族官员是千方百计地笼络。只要你投降我，来我这边官职不变，子孙还可以世袭。如果有当地老百姓杀掉明朝官吏的，可以根据你的功劳大小，授予一定的官职。单人来投降的，我皇太极负责给你发工资养老；率领一帮人来投降的，根据人数多少，给予你一定的官职。

皇太极这些措施分明是分裂明朝，但是做得不着痕迹，看上去很像一个仁君。就说对祖大寿，皇太极可谓“仁至义尽”，天聪五年（1631 年），祖大寿被迫投降。皇太极非常信任他，甚至还放他回锦州去策反，结果这个祖大寿一去不回。

祖大寿一去不返后，皇太极不仅没有生气，还耐心等了祖大寿十年。十年后，祖大寿兵败，再次回到他的怀抱。

应该说，皇太极这个政策是卓有成效的，越来越多的汉官投向皇太极的怀抱。皇太极不光是诱之以利，还从人格上尊重这些投降的官员。

皇太极对汉人的优待在清朝的皇帝中实属罕见，有的甚至比对满族的官员待遇还好，这就引起了一些满族贵族的不满。在这些汉人中，范文程可谓皇太极的心腹大臣。

做好这些舆论工作，入关便指日可待了，皇太极是这样想的，当然，他也清楚前面还有袁崇焕。不过，他自信这对他来说不是困难。

第三章　高手过招

这个皇太极太恐怖了，可以肯定皇太极绝非善类，然而他看上去这么温和仁厚，这不是披着羊皮的狼是什么？皇太极是一个非常内行的政治家，一个内行的政治家绝不会把一副恶狼的嘴脸显露出来。

太极对太极

皇太极是一个政治高手，这一点相信大家都不怀疑。那么，他打仗是不是特别出色呢？从他之前的表现来看，应该说打仗方面可以给皇太极打个良，但是良跟优是有区别的。皇太极想要证明自己是优，就必须打几个漂亮仗。

袁崇焕一战打出了威风，打出了前途，喜得崇祯皇帝合不拢嘴，一直让他不断升迁。即使兵部尚书王永光也不得不含酸带苦地承认：“这是八年来后金这帮贼第一次受挫，我们泱泱人国毕竟还是有人才啊！”

就连朝中那些钩心斗角的大臣和阉党也对袁崇焕寄予了厚望，斗的前提是什么？首先要有国家。所以大家一起保佑袁崇焕守住边疆。

一时之间，袁崇焕成为大明王朝的红人。在这举国欢庆的日子里，唯一不高兴的可能就是高第了。可以说，他的猥琐把袁崇焕的形象衬托得更加高大。这位仁兄的表现实在太让人失望了，就连阉党都懒得保他，于是他只好卷起铺盖回家。

据说，得知努尔哈赤的死讯，袁崇焕还礼貌地派出了慰问团。皇太极是何等精明的人，袁崇焕跟自己非亲非故，不可能是出于人道主义的关怀来吊唁吧！所以，一定是来刺探军情的。

袁崇焕派了三十个使者过来，名为吊唁，实为谈判和刺探敌情。当然，袁崇焕虽然胆大，还不至于缺心眼，在做这一切之前，他先请示了明皇帝。

皇太极心想，你把我爹打得郁闷死了，现在又来假惺惺地吊唁，这时最好的出气方式是把这些使者的脑袋都砍了。不过，这种做法只适用于莽夫，不适合皇太极。

对此，皇太极选择了忍。

他赔着笑脸迎接这些使者，还好吃好喝地款待他们，让他们参观自己的军队，让这些人享了一个月的福，临走前还送给他们一些马匹和牛羊，最后才“依依不舍”地跟他们道别。

皇太极绝非什么善类，然而他看上去这么温和仁厚，这不是披着羊皮的狼是什么？皇太极是一个非常内行的政治家。

皇太极和袁崇焕虽然是对手，但彼此之间也有一种敬重。在正式交手之前，他们将始终保持客气和尊重的状态。

在正式开打之前，皇太极还是倾向于选择外交手段为自己谋取利益。所以，在遣返明朝代表团之时，他塞给代表团一封信。这封信没什么新颖的内容，就是希望两国和好，皇太极还特别提到诚信，就是说和好要有诚意，不能表面一套背后一套。

袁崇焕让人传话给皇太极，和好是好事，但是呢，大明朝怎么可以和你们并列在一起，不好意思，你这样写的话，我实在没法启奏皇上。

袁崇焕的态度很明确，不承认后金政权，换句话说，在我们眼里，你们后金还称不上是一个国家。

皇太极脾气再好，听到这样的回答也头顶冒火，我皇太极好歹也是一个有头有脸的人。你们明朝居然把我当成土匪首领，太过分了，是可忍，孰不可忍。皇太极最后还是忍了，因为他最擅长的就是忍。忍归忍，但这口气是必须出的。皇太极又给袁崇焕写了第二封信。这封信很长，还附录了努尔哈赤当年的“七大恨”。

信的内容虽然很长，但通篇的意思只有一个，你们对不起我，我老爹当年有“七大恨”，传到我这里，此恨绵绵无绝期。怎么办呢？要消除我这些恨只有银子了。皇太极狮子大开口，估计明朝如果答应他的要求，没几年国库就空空如也。

收到这样的信，袁崇焕当然只是冷笑，败军之将还想讲条件。他认真地给皇太极回了一封信，然后逐条逐条地批驳所谓的“七大恨”，末了还对他说，想要钱自己赚去。

看目的没有达到，皇太极又给袁崇焕写了一封信。他竟然耐心地把袁崇焕批驳“七大恨”的理由又重新批驳了一遍，感觉两人像打笔仗一样，估计皇太极也有文人天赋。批驳完之后，皇太极口气小了点儿，说钱你们是必须给的，如果觉得多的话我可以减少一半，这些钱是补偿我精神损失的。

皇太极一边和袁崇焕书信交流，一边指派二贝勒阿敏攻打朝鲜。皇太极这人真不是一个闲得无聊就想跟人玩文字游戏的人。他和袁崇焕写信的真实目的已经暴露，并不是真想要什么钱，而是先稳住明朝，好集中精神打朝鲜。

天启七年（1627后）正月初八，阿敏出兵朝鲜。朝鲜军队的表现没有出现意外，一个月后，平壤失陷，朝鲜国王臣服于后金。

明朝眼睁睁地看着朝鲜投入后金的怀抱，没办法啊，今非昔比，以前是财大气粗的大亨，今天只是个温饱都难解决的人。后金你爱怎么干就怎么干吧，等振作之后再来收拾你。

这事一出来，袁崇焕就知道皇太极不可告人的秘密了，原来皇太极这个人还是棋高一着啊！在政治上，袁崇焕和皇太极不是一个级别的，这一点甚至都不需证明，从袁崇焕后来的下场就知道。

袁崇焕终于知道了，原来这家伙是想先解决朝鲜，再来解决自己。袁崇焕立即给皇太极写了一封信，严词质问，你这个人怎么这样呢？一边写信说修好，一边又攻打我们大明的附属国。你不是讲诚信吗？你的诚信哪里去了？

袁崇焕也没闲着，一边跟皇太极书信往来，一边下令修固城墙。袁崇焕修的可不只是宁远城，他修的是宁远的前哨锦州城。为了保证工程质量，袁崇焕别出心裁，把几万民工直接调到锦州。除此之外，袁崇焕还主动出击，占领之前沦陷的一些城池，像大凌河、前屯、中后所、中右所之类，将防线全面加固，恢复了关外的屏障。

修城池不够，袁崇焕还召来了大量的农民，对他们说："只要你们在这里定居，就可以免费得到地。"这么做的好处是老百姓种田积极性高，城内的军粮就多。再加上大家都把这块地方当作自己的家，敌人来了肯定是拼着老命抵抗。

这些事当然也逃不过皇太极的眼睛，所以又轮到皇太极痛斥袁崇焕不讲诚信了。

双方都不讲诚信，怎么办？只能打了。

忽悠整忽悠

天启七年（1627年）五月六日，皇太极率领六万大军，从沈阳出发，向锦州进攻。著名的宁锦大战就此拉开了序幕，踌躇满志的皇太极并不清楚等着他的究竟是什么。

说实话，一向能忍的皇太极这次有点儿急躁。但他也是有苦衷的，因为新一轮的饥荒又来了，不抓紧时间赶快抢劫一番，估计老百姓温饱都成问题了。再加上袁崇焕正在修筑关外防线，等他修得像磐石一样坚固，以后打起来就更困难了。

为了粮食，大家把命豁出去。皇太极号召八旗子弟。

为了粮食，大家一定要赶走奴贼。袁崇焕动员大家。

应该说在开打之前，袁崇焕就占据了天时、地利、人和各方面的因素。先说天时，在辽东垦殖多年，粮食都很充足，后金却发生了饥荒；再说地利，城池都修得差不多了，我们居高临下守城，还怕你们不成；最后说说人和，宁远之战后，袁崇焕的威信和人气急剧攀升，可以说，袁崇焕发话比明皇帝还管用，大家信他啊！

也许除了一个人，满桂。满桂这个人性格比较冲动，人品其实也还不错，他跟袁崇焕的关系非常微妙。在宁远之战时，有一件事满桂对袁崇焕非常不满，这件事的起因是一个叫赵率教的人。

赵率教是河北蓟阳人，跟满桂一样都是非常不错的将领，袁崇焕很欣赏这个人。宁远之战时，赵率教驻守前屯，和敌人打得正激烈的时候，满桂忽然派人请求赵率教支援，赵率教没理他。为啥？很简单，你兵力吃紧，我这里更紧啊！

仗打完之后，满桂心里老是惦记着这事，气势汹汹地要赵率教给一个说法。于是，袁崇焕出场了，袁崇焕的意思是两位都是国家栋梁，不要为一些鸡毛蒜皮的事斤斤计较。满桂是火暴脾气，认为袁崇焕偏袒赵率教，对袁崇焕很不服。

袁崇焕刚来的时候，满桂是宁远总兵，袁崇焕不过是宁前道。论官职，满桂比袁崇焕要高，不过明朝讲究以文制武，所以袁崇焕实际地位比满桂要高。这满桂心里肯定是有点儿别扭的。

宁远之战后，满桂升到右都督，袁崇焕升到兵部右侍郎兼辽东巡抚，官职依然不如满桂，可实际地位还是比满桂高。满桂不高兴的时候，就奚落袁崇焕是个书生，袁崇焕凛然地说："你道本道是个书生，本道却是将首。"

后来因为两人不断掐架，朝廷便让满桂镇守山海关，袁崇焕镇守宁远和锦州。袁崇焕不打无准备之战，修好城墙后，他又检视弹药库和粮仓，发现一切都还充足。就等你了，皇太极。

然而，皇太极真正来的时候，袁崇焕还是感到一些慌乱。因为皇太极行军的速度实在是太快了。

从出兵算起，五天的时间，皇太极的军队就包围了锦州。

非常荒唐的是，锦州城是没有正式守将的，袁崇焕还没有安排好，所以让赵率教在那里暂且管理几天。赵率教完全没有料到皇太极这么快就打了过来，看着城下黑压压的大军，赵率教暗叫倒霉。倒霉归倒霉，碰上了就跑不掉，只能想办法去应对。

赵率教毕竟是久经考验的将军，冷静下来后，就用绳子放下两个人，找皇太极谈判。皇太极糊涂了，我大军都已经来了，你才开始谈判。谈判也好，只要能投降，我是欢迎的。

皇太极于是给使者一封招降信，让他们带上去。之后，皇太极开始静静地等待了，不战而屈人之兵最是理想。但等待的过程是漫长的，一直等到晚上还没有任何信息。皇太极决定继续等，到了第二天，还是没有回信。皇太极感觉有点不太对，便走到高处瞭望，发现明军正在抢修工事。

不行，忽悠高手皇太极被人忽悠了。皇太极一声令下，打。

锦州城的兵力不到两万，皇太极的兵力是他的三倍多。应该说，锦州城没有理由攻不下来。皇太极纠集大军后，忽然下达了一个匪夷所思的命令：停止进攻。

皇太极的这个命令让人百思不得其解，其实也好理解，他忽然看到城楼黑洞洞的炮口，想起老爹怎么死的，一时间有些胆战心惊，心想即使攻下了锦州城，估计也会付出很大的代价。

皇太极派出使者谈判，希望城内守军弃明投金。赵率教懒得理他，皇太极又派出使者喊话，到第三次派出使者时，赵率教已经不耐烦了："要打就快点打。"

皇太极只好硬碰硬了，大手一挥，兄弟们上啊！可惜，宁远之役给了八旗军重大心理创伤，城楼上的大炮一发射，就人心惶惶。大家攻了几次，没敢玩命，就后退了。后来，任凭皇太极叫骂，大家都不敢往前冲了。

皇太极是个仁君，总不至于把自己这些胆小的士兵全部都砍死，只好又坐下来写招降书，让人送到城门口，结果人还没走到城门口，就被人射死了。皇太极又写了一封，让人送，结果无人敢送。事情到了这一步，皇太极只好让人把招降信射进城内。

皇太极锲而不舍地派使臣来城下喊话，说有事好商量，有什么问题不能在谈判桌上解决。也许是皇太极的执着打动了赵率教，赵率教让人传话:“要谈判的话，派使者是不行的，要派使臣。”

皇太极很高兴，心想甭管你什么要求，只要愿谈，什么问题都是有希望的。皇太极挑了两个使臣，可是这两个人来到城下的时候，竟然无人理睬。两人干瞪眼，讨个没趣又打道回府。

被人忽悠得这么惨，皇太极决定第二天不惜一切代价攻城。可是第二天，城内的使者居然来向皇太极道歉，说:“昨天很不好意思，你们来得比较晚，实在不方便开门啊！你们今天再派人早点儿过来，我们一定会好好款待。”

皇太极真是好脾气，你们这些汉人真难缠，好，我就再给你们一次机会。皇太极又派出了两个使臣，使臣来到城下的时候，明军还是不开门。所谓款待就是让他们在烈日下暴晒，这两个使臣还挺敬业的，居然赖在城楼下不走，也不担心被明军射死。

赵率教终于来到城楼上，对两个使臣说：“你们还是退兵吧，退兵的话我们大明可以给你们一笔辛苦费。”

皇太极再也顾不得大汗的身份，破口大骂……

就在这时，突然又有使者走了进来，对皇太极说：“谈不是不可以的，不过呢，城楼上地方小，所以不能在城里谈。在城外谈多好啊，空气新鲜，青草幽香。”

皇太极看这些人耍流氓，也决定流氓一下，他写了一封信：“你们这些人老是躲在城里，这不是英雄好汉的行为。是好汉的就出来真刀实枪地打，你们要是怕的话，你们可以出一千人，我呢就出十个人，我们十个打你们一千个，如果我们输了，我就退兵。如果你们输了，你们就把城内所有的财物都给我。”

皇太极这招就是耍流氓了，他希望用这种招数把明军引出来。

其实，赵率教也不是成心忽悠皇太极，没办法，人家打上门来了。为了保家卫国，忽悠忽悠敌人又有什么不对的。就在赵率教忽悠皇太极的时候，袁崇焕已经在调动兵马支援，他调的是满桂，人马只有一万。

千万别小看这一万人马，这一万人马是辽东最为精锐的部队——关宁铁骑。这支部队主要是由辽人组成，武器装备那是没话说，就连马匹也是最精良的。

满桂本来是想解围的，没想到半路上碰到了莽古尔泰的巡逻兵。双方一阵厮杀后，彼此都在心里感慨：“对方不好惹，还是回家吧！”

满桂的表现让袁崇焕很失望，但也不能责怪他，毕竟人家才那么点儿人。袁崇焕决定使出一个新招，他秘密派人送一封信给锦州城，没想到这封信被皇太极给截住了。皇太极一看大惊失色，只见信上写着：赵率教，你不用担心，锦州被围，我们是清楚的；你就好好在那儿守，我们已经调集各路援军在宁远集结，蒙古援军也即将赶到，至少有七万人马；你就放心地守城，援军来了后，大家里应外合，一举歼灭贼军。

皇太极又被袁崇焕忽悠了，袁崇焕很聪明，辽东的人马大家都知道有多少，所以忽悠说领导从其他地方调集援军，还有蒙古军，水平确实相当高。

皇太极为防被围，将一部分军队撤出包围，在城外驻防。皇太极这人肯定让人非常烦，他攻又攻不下来，还不断地让人射箭劝降。这时，赵率教已经烦不胜烦。若干天后，皇太极没发现任何援兵。又决定攻城，可惜就是攻不下来，没有什么实质性的收获。

到了五月二十七日，皇太极已经对自己失望到极点，板着脸下了一道众望所归的命令：“撤退。”

所谓撤退就是饶过骨头去找肥肉，在皇太极的眼里，宁远是一块肥肉。让人不解的是，你皇太极连锦州都拿不下来，怎么能拿得下宁远呢？坐镇宁远的正是袁崇焕本人啊！

皇太极可能也来不及想那么多了，总之，如果就这么回去，实在太丢人。

硬碰硬

皇太极可能真的是被明军整得失去理智了，否则不会作出这么没有水准的决策。

他留下极少的人马监视锦州，自己率领大部队向宁远扑去。我们且不说赵率教一旦出城，明军前后夹击，就说这宁远城明显比锦州要坚固，力量也更强大。软骨头都啃不下来，怎么去啃硬骨头？

人一旦认死理了，一百头牛都拉不回。

当皇太极来到宁远城下时，他差点儿从马上摔下来，他看到了一幕让自己无法相信的场景，简直就像海市蜃楼。

以前听说后金要攻打，明军总是把城门关得紧紧的，上面架着一大排大炮，各种弓箭啊、滚木啊、礌石啊，全部都准备好了。

这次的情景却完全不一样，明军列好了方阵，站在城门外，可惜没有手举花环，否则皇太极还以为是欢迎自己的。宁远的守军有三万五千人，兵力虽然比皇太极差了点儿，但个个高昂着头，看上去非常自信的样子。

尽管皇太极学问渊博，一时之间也不知道袁崇焕葫芦里卖的是什么药，所以下令士兵停止前进。皇太极看了好半天，才明白是怎么回事，等他明白过来后，发出一声咆哮：“袁崇焕，你看不起我，你当我是软柿子！”

皇太极精神已近崩溃，自从出了个袁崇焕，原本一帆风顺的后金做啥啥不顺，当年跟着父亲攻打宁远，父亲死掉，宁远还在。几天前，自己打锦州，锦州毫发无伤，自己倒死了不少战士。袁崇焕居然有城不守，在城外向我示威。老虎不发威，还真要被人看成是病猫了。这一仗如果不打的话，我皇太极以后在臣民面前就抬不起头了。

皇太极要打，但有人认为不能打，而且还是三个人：代善、阿敏、莽古尔泰。皇太极快疯了，不光别人欺负，自家人也欺负，而且三个贝勒一个鼻孔出气。

三个贝勒为什么认为不能打呢？因为他们觉得明军好像是准备好了，信心十足，感觉这仗不能打。

皇太极说：感觉有个啥用，明明我们人多势众，别人都出来了，省去了攻城的麻烦。

可惜这三个贝勒坚定地站在一条线上：不能打。

皇太极很想发火，不过他还是忍了，温和地说：“你们先回去吧，我再考虑考虑。”

三个贝勒前脚一走，皇太极立刻发出了进攻的命令，这么做，也算是给三个哥哥的面子，毕竟人家年纪大一点，直接否定的话显得太不尊重兄长。

三个贝勒一回头，看到自己的人马都往前冲了，没办法，抄起家伙也冲了上去。

看到这里，我们也许觉得袁崇焕这人太高调了，你怎么就自信能打败这支曾经纵横辽东的铁骑？如果打输了，后果将多么不堪设想。别担心，袁崇焕虽然挺能忽悠的，但从不打无把握之仗。虽然历来八旗的铁骑所向无敌，但袁崇焕认为关宁铁骑也不赖，势均力敌。

但即便是这样，获胜的概率还是皇太极要大一些，因为皇太极的人数更多。皇太极是这样想的，所以才敢进攻，他相信一旦两军交战，明军的大炮就派不上用场了，袁崇焕总不至于把自己的士兵也轰死吧！

袁崇焕当然不会轰死自己的部队，但这不代表大炮不可用。大炮还是可用的，因为大炮射程远，可以轰击后金后面的部队，相当于把敌人的前后部队打出一段空当。

八旗军已经习惯明军是一群怂包，但是两军兵刃相接，他们才感觉有些不对劲儿。这根本不是以前的那些明军，这支军队似乎不怕死，看到敌人就往死里搞。再加上城墙上的大炮不停地轰着后金的后续部队，整个战场后金军节节败退，但是皇太极也很顽强，下了死命令，一定要拿下宁远城。

双方一直打到中午，死伤枕藉。如果这样打下去，这场战争的胜负依旧难以预料。而且，皇太极还忘了一件事，他轻轻松松地放弃锦州，没有带走一片瓦。就在大家杀得正欢的时候，锦州的赵率教忽然冲了出来。

战争已经没有悬念了。

这一战，后金伤亡非常惨重，和硕贝勒济尔哈朗（舒尔哈齐第六子）重伤，代善的两个儿子重伤，死亡人数达四千多。

皇太极比他老爹还郁闷，人一郁闷就容易做错事。班师的路上，他突发奇想，还想碰碰运气，攻打锦州。人到了这个份上，只能用失败来形容了。

皇太极先围城，围了五天，也不知他想干吗，突然就说要攻城。结果，一天下来，城下躺着三千具尸体。看着满地的尸体，皇太极心情终于平静了，于是下令撤退。

宁锦战役中，皇太极比他老爸更失败，损失了至少一万名的战士。从这一战可以看出，明朝其实不是亡在清朝的手中，而是死在自己的手中。

袁崇焕打了胜仗之后，明皇帝高兴，大臣高兴，太监高兴，老百姓高兴，总之全国人民都高兴。皇上高兴之余，升了袁崇焕一级，赏银三十两。

可是接下来发生的事情却让人们大跌眼镜，战斗英雄袁崇焕忽然提出辞职。

袁英雄为啥辞职呢？不会是为了几两银子吧！他不辞职不行啊，越来越多的人弹劾他，总之袁崇焕成了箭靶子，许多人朝他放冷箭。宁锦之战，功劳最大的是魏忠贤，其次是监军太监……在功劳名单上，袁崇焕排名靠后。

以袁崇焕这种脾气，怎么受得了这种不公正的待遇？再加上事情完成后，越来越多的人看他不顺眼。

袁崇焕一提出辞职，上面马上就批准了。

当皇太极听到这个消息的时候肯定破口大骂："魏忠贤，你干吗不早点儿把袁崇焕整下去？"

不过，崇祯神不知鬼不觉地除掉魏忠贤一党以后，又重新起用袁崇焕。且不说崇祯最后杀死袁崇焕，至少他能重用袁崇焕，就说明这个皇帝并不是人们想象中的那么昏庸。

第四章　袁崇焕之死

此时，崇祯为他的刚愎自用付出了代价，各地勤王的军队超过二十万，但大家都不敢随便出战。袁崇焕下狱之后，各地兵马人心涣散，大家都搞不懂这个喜怒无常的明皇帝。打赢了是死，打输了也是死，只有按兵不动最安全了。

祸　端

根据《清太宗实录》的记载，崇祯是因为中了皇太极的离间计误杀了袁崇焕。考虑到历史是由胜利者书写的，我们可以来分析一下这事的真实性。我们先来看看如果是皇太极设计杀了袁崇焕会有什么影响，一是歌颂了皇太极的英明，这个人太聪明了，略施小计就除掉了后金的心腹大患；另外一个就是说崇祯这个皇帝非常昏庸，连忠臣干将都杀，这种人不灭亡天理难容，这就为清朝取代明朝奠定了心理基础；还有一个就是说袁崇焕这人非常冤，这样的英雄都要被杀，那你明朝灭亡真是活该，清朝顺应历史潮流，乃是天命。

袁崇焕死得确实冤，崇祯皇帝确实有昏庸的地方，但这不代表袁崇焕就是因为皇太极一个离间计而被杀的。早在皇太极施离间计之前，崇祯皇帝的案头上就摆满了诬告袁崇焕谋反的奏折，这些奏折全是汉人自己搞的。事实上，每个边官还不都像袁崇焕一样，如果没有诬告那才不正常。崇祯皇帝能当上皇帝，铲除阉党，就说明这个人并不傻。难道听到有人说某某边官谋反，他就不经调查杀掉？

真实的情况是，崇祯早已动了杀袁崇焕的念头，他杀袁崇焕不是因为什么谋反，他知道袁崇焕没有谋反的意思。那么，崇祯到底因何要杀掉袁崇焕呢？

这还得从袁崇焕的性格说起，袁崇焕是一个非常有个性的人，而有个性的人在官场上混往往会触犯很多东西。

袁崇焕曾经对崇祯夸下海口："五年之内，可以恢复全辽。"

夸下海口，就得有实际行动，虽然袁崇焕表现不错，但后来就让人有些失望了。然而，袁崇焕做得最过分的一件事是斩杀毛文龙，虽然毛文龙不是崇祯的亲戚，崇祯也未必对毛文龙这个人有什么好感，但毛文龙作为地方大员，除了皇帝谁也无权斩他。袁崇焕这么做就是越权了，而且越的是明皇帝的权，严重地违反了官场规则。

现在的问题是袁崇焕为什么要杀掉毛文龙呢？他跟毛文

龙有仇吗？

我们来了解一下毛文龙这个人，毛文龙躲在皮岛上，位于后金的后方，手中有四万的军队，算是个地头蛇。地头蛇往往是很难调动的，这是事实。不过，公正地说，也不能怪毛文龙。因为当时通信不便，要给毛文龙下命令必须穿过敌人阵地，或者是坐船绕道而行，特别费事。再加上明朝指挥非常混乱，一道命令发出去，可能命令还没到毛文龙那里，上头又改变了想法。所以时间一长，大家就形成了一种定式思维：毛文龙不听指挥。

甭管毛文龙听不听指挥，但是他的存在对明朝是有好处的，对后金是不利的。因为他可以经常骚扰后金的后方，毛文龙这人会保存实力不跟八旗军正面对敌，但骚扰也是一种战术，有时候还是非常管用的战术。

明朝的言官都是一帮整人的好手，就算你没问题，他们也能揪出问题。而毛文龙还真有问题，所以弹劾他的人相当多，那就一点儿也不奇怪了。毛文龙到底有什么问题呢？说起来也有一大堆。

毛文龙镇守皮岛八年，基本上处于自生自灭的状态。明朝廷既然不闻不问，毛文龙只好自己谋生。虽然说打仗毛文龙不是很在行，但是发展经济还是有一套，估计也是被逼出来的。靠海吃海，海水是没法吃，那就吃过往的商船吧，顺便倒卖一些岛上的土特产。这么一搞的话，经济果真搞得有声有色，毛文龙的兄弟们跟他吃香的喝辣的，活得也挺滋润的。

说实话，毛文龙这人不容易，孤悬海外，自谋生路，顺便还牵制皇太极，虽然对明朝交给他的任务不是很积极，这也不能全怪他。以前的一些总督和巡抚都是明白人，挺体谅毛文龙的，所以毛文龙活得也还舒坦。

到了袁崇焕这里就不行了，毛文龙国难当头，你不打仗不说，还一门心思敛财，太可恶了。

毛文龙第一大罪状是经济问题，据说这八年来他的账目不清不楚，还捂着账本不让人看。用现在的话说，你毛文龙搞经济，做假账，不上税。毛文龙觉得很冤，我虽然没有上税，但是解决这么多人吃饭问题已经够难了，你明朝廷呢，不闻不问，发那么一点工资，如果不搞经济，每月发军饷的钱都拿不出来。

毛文龙第二大罪状是虚报战功，这个也是事实，不过这是当时官场的一个潜规则。虚报战功还算好的，就怕那种被人打得稀里哗啦，还对上面吹嘘歼敌多少多少。虽然是潜规则，一旦你提出来，而且找到了证据，还是可以法办的。

袁崇焕对毛文龙的这些猫儿腻心知肚明，在崇祯二年（1629 年）四月，袁督师下令："所有运往东江的船队，必须先开到宁远的觉华岛接受检查，然后再开往东江。"

袁崇焕等于是设置了一道海关，一下子断了毛文龙的财路。听到这个命令，毛文龙感觉自己经营的"公司"要倒闭了。毛文龙遂向高层诉苦，说这样下去我没法混了，还是辞职算了。

崇祯虽然年轻，但也是一个打太极的高手，他安慰毛文龙："这事慢慢说，别急，一定会解决的。"

就在毛文龙为财政发愁的时候，突然有人给他送来了十万两银子。更奇怪的是，这个送钱的人居然是袁崇焕。袁崇焕只差没跟他说："这钱是来买你命的。"

袁崇焕究竟什么时候动了杀毛文龙的念头呢？

崇祯元年（1628年）七月，袁崇焕在京城和大学士钱隆锡谈话的时候就说过："毛文龙这个人如果可用的话就用，如果不可用就杀掉。"意思非常明白，如果毛文龙听指挥的话就可用，不听指挥的话就杀掉。所以，那种认为袁崇焕杀毛文龙是因为看不顺眼的看法是站不住脚的。

归根结底，大局为重，只是袁崇焕心目中的大局和崇祯心目中的大局有着微妙的不同。

为了杀掉毛文龙，袁崇焕决定先对他示好，示好才能让他疏于防备。毛文龙手下毕竟有几万人，一旦造反的话，袁崇焕估计也会头大。袁崇焕给毛文龙送去许多救济品和慰问品，并邀请毛文龙来宁远友情参观。

毛文龙来了，袁崇焕这时要杀掉他只是举手之劳，不过他并没有这样做，确实袁崇焕政治神经不太发达，但做事还是考虑得挺周全的。他知道如果在宁远干掉毛文龙的话，皮岛的那几万人很可能会散架，几万人一旦做土匪，或是投敌，那对于国家的安全是很大的隐患。

袁崇焕真诚地对毛文龙说："你来这里，我很感动，过些日子我也去你那里阅兵。"

不得不佩服袁崇焕的胆子，在毛文龙的地盘斩杀毛文龙。

袁崇焕到达皮岛的当天晚上，两人聊得还不错。阅兵的那天，毛文龙感觉不太对劲儿，毕竟是个老江湖，出事之前多少会有一些感觉。而袁崇焕的表现却非常淡定轻松，他随身只有十几个护卫。毛文龙又觉得自己的担心是多余的。

这天晚上，为了表示自己的诚意，毛文龙孤身一人来到袁崇焕的营帐。于是，开始了一场决定毛文龙命运的谈话。

袁崇焕问他："你在岛上待了这么久了，为国家操劳得够累了，不如早点儿回家休息吧，听说你老家西湖的风景不错啊！"

毛文龙不识时务，或者说不了解袁崇焕，回答道："没事的，没事的，文龙正当盛年，后金这帮狗贼还没消灭，文龙岂能辞职呢？"

袁崇焕笑道："这个你倒不用担心，我们会安排人才的，你放心回家休养就行了。"

毛文龙傻乎乎地说："这帮兄弟跟我这么多年，估计别人很难带哦！"

袁崇焕干咳一声，说："我这次来这里是为了犒赏你的军队……"

谈话结束了，毛文龙没有抓住最后的活命机会。袁崇焕早就对自己许诺，毛文龙可用则用，不可用则杀。所谓可用就是让毛文龙交出指挥权，所谓不可用就是死抓住手中的权力不放。可见，袁崇焕并不是看毛文龙不顺眼，而是为了掌握兵权，好统一调动，对付后金。

两天后，袁崇焕在山顶设置了一个营帐，准备在那里干掉毛文龙。毛文龙带着部队准备上山，袁崇焕的侍卫说："这不是请客吃饭，不用带这么多人，带上你几个亲信就够了。"

毛文龙心想也是，见袁督师带着一大帮兄弟确实不太礼貌，便带着几个心腹将领上山了。

进了营帐后，毛文龙看到袁崇焕拉长了脸。毛文龙还没反应过来，袁崇焕就厉声呵斥："好你个毛文龙，这几天我苦口婆心地跟你聊天，希望你回头是岸。没想到你执迷不悟，目无国法，你当本部是什么？"

毛文龙张着嘴巴想争辩，还不等他说话，袁崇焕就列举了他十二大罪状。

一、你毛文龙浪费国家粮食和钱财，整日龟缩在岛上，忽悠朝廷说恢复国土，时至今日，没看你恢复寸土。评点：这个真不能怪毛文龙，毛文龙又不是个军事奇才，收复国土谈何容易。毛文龙只是官员中的凡客，混口饭吃而已，明朝廷给的饭还不多，人是铁、饭是钢，怎么能说是浪费国家粮食呢！好歹，毛文龙也给皇太极挠过不少痒痒。

二、你毛文龙是牵制皇太极的，为何皇太极几次兵犯宁锦，这算得上是牵制吗？评点：这一条是说毛文龙工作态度不认真，至少是业务能力差，还算得当，但也不是很有道理，看看后来，皇太极直接绕过宁锦，打到京城去了。难道我们可以说袁崇焕是个摆设？

三、你毛文龙为了经济利益，经常骚扰朝鲜人民。

这些罪状就不一一列举了，总之毛文龙死得有点儿冤。毛文龙被绑起来的时候大喊：“冤枉。”

这么多罪状还冤枉，袁崇焕不理，坚持要杀他。毛文龙仗着自己是一品武官，手下又有这么多人，还想反抗。

这时，袁崇焕拿出了尚方宝剑，说道：“我答应皇上，五年之内平辽。我凭什么这么自信呢？因为我讲法度，今天如果不砍了你，以后我的法度谁还会听？皇上给我尚方宝剑，目的就是这个。”

所谓的“这个”，在毛文龙看来就是杀自己。毛文龙虽然是明朝大员，心想皇帝要杀自己，也只能认栽了。杀吧，别灭九族就行。

事实上，袁崇焕是没有杀掉毛文龙的权力的。杀掉毛文龙后，袁崇焕善后的功夫做得不错，他唯一无法善后的就是那个远在京城的皇帝。

当崇祯收到毛文龙死讯时，大为惊骇。但是在当时的情况下，他又必须用袁崇焕，所以忍下这口气，秋后再来算账。

袁崇焕杀毛文龙，历史学家一般认为是非常失策的。清代杨涟评价说：“文龙守皮岛多年，虽有冒饷抗拒诸状，然其兵马强盛，将士多出其门……使留之以据大兵，不无少补。崇焕乃不计其大事，冒昧诛之，自失其助。遂使孔定南诸将，阴怀二心，反为本朝所用。此明朝亡国三大机。”

毛文龙有三个有名的部下：尚可喜、耿仲明、孔有德，这几位后来都造反了。前两位跟着吴三桂一起，是为三藩。之后，袁崇焕起用毛文龙的儿子毛承禄，但他也造反了。这个结局想必是袁崇焕始料不及的。

死　期

我们知道，在杀袁崇焕之前，整个辽东盛传袁崇焕之所以杀毛文龙，是被皇太极收买了，想跟皇太极里应外合，一起端掉大明朝。

这种说法崇祯会信吗？崇祯多疑是肯定的，但他还没有丧失最基本的理智。如果袁崇焕要投敌的话，犯不着毛文龙什么事，只要打开宁锦的防线。

所以，袁崇焕被杀肯定不碍皇太极什么事，皇太极虽然也玩弄了离间计，但这并不代表这笔功劳就可以算到他头上。就好像一个人早上起来看到太阳升起，不能说这太阳是因为我而升起。比喻虽然不恰当，但大概就是那么个意思。

袁崇焕杀掉毛文龙之后，也感到后怕，立刻给明皇帝写了一封检讨书，承认自己没有权力杀毛文龙，表示愿意承担一切后果。

令袁崇焕感到吃惊的是，崇祯并没有生气，反而给了他一张奖状，夸他办事果断，为国家除了大害。袁崇焕受宠若惊，心里暗呼吾皇圣明。

崇祯的想法可能是这样的，你杀掉毛文龙，没关系，我给你机会，看你五年能不能平辽，不能的话再来收拾你。

就在袁崇焕计划如何复辽的时候，皇太极筹划着如何攻打北京。在此之前，皇太极吃了袁崇焕的亏，当然不会再吃饱了没事找抽。皇太极绝不会犯同一个错误，他决定不碰关宁防线。

皇太极想破脑袋，终于发现途经蒙古、绕远路突破长城这个好方法。这次，皇太极还邀上蒙古人一起南下劫掠。

就这样，十万人绕远路，浩浩荡荡地跨过长城，来到明朝重镇遵化。遵化距离北京只有两百多里，相当于是北京的门户，遵化一旦失守，北京就岌岌可危。

远在宁远的袁崇焕听到这个消息，差点儿晕过去。皇太极，我在这里恭候你多时，你居然跟我玩兜圈子游戏，想整死我是吧！没错，皇太极就是想整死袁崇焕，皇太极本人当然没有能力整死袁崇焕，不过只要用用头脑，是可以借别人的手整死袁崇焕的。

袁崇焕急了，人一急就要犯错。也许皇太极在其他人眼里是一头凶狠的大老虎，而袁崇焕呢，几次给皇太极下马威，在他眼里，皇太极可能只是个病猫。他居然让赵率教率领一万人去收拾皇太极。

一万人收拾十万人，袁崇焕的这个决策让人唏嘘。赵率教没有辜负袁崇焕的信任，虽然没能收拾皇太极，反而自己变成别人的点心，也总算是为国捐躯。赵率教阵亡不久，遵化失陷。

遵化失陷，袁崇焕亲自带领大军，前去和皇太极对战。袁崇焕赶到京城郊外时，朝廷里发生了一件大事，兵部尚书王洽刚上台就下岗，非但下岗，连脑袋也被崇祯摘了。崇祯摘完王洽的脑袋，让老将孙承宗出马。孙承宗算得上是袁崇焕的恩师，应该说他上台对袁崇焕是有好处的。

袁崇焕在遵化附近的蓟州陈兵，就等皇太极过来。皇太极也许是被打怕了，惹不起还躲不起吗？反正，看到袁崇焕就闪避，充分发挥了清军机动性的特点。

皇太极绕过蓟州，继续向目标地区——京城——前进。

但袁崇焕认为这不太可能，京城是大明的都城，皇太极应该不至于有那么大胆子吧！在袁崇焕看来，皇太极最多就是把京城周边的住户抢劫个遍。就连孙承宗也是这么看的，认为这帮人只是一伙强盗，只是人数多得吓人而已。所以，孙承宗命令袁崇焕尽快赶到近郊，将皇太极给赶走。

接到命令后，袁崇焕并没有服从，此时的袁崇焕今非昔比，已经有了自己一套功夫。十一月十一日，袁崇焕开始了一个奇怪的用兵方式，这个方式最终送了他自己的命。

袁崇焕几万人追着皇太极十万人，皇太极停下来，袁崇焕也停下来，皇太极往哪个方向跑，袁崇焕也往哪个方向跑。皇太极纳闷，不知道袁崇焕干吗，刚开始还有些紧张，后来一停下来就放心地抢。

袁崇焕到底在搞什么名堂，别说皇太极纳闷，崇祯也很纳闷，当时整个北京的人都很纳闷。袁崇焕和皇太极兜了五天的圈子，双方没有伤对方一根手指头。看起来很像是两人在预谋什么一样，所以怪不得北京城里风传袁崇焕投降叛变。

如果说通敌的话不太对啊，袁崇焕可以直接打开关门，也省得皇太极劳师动众绕那么远的路了。那么，袁崇焕为什么要跟着皇太极满世界跑呢？

这个问题实在让人费解。但是我们可以推测，袁崇焕的兵力只有几万，如果跟皇太极正面交手的话，是讨不到什么好处的。要想取胜的话，唯一的方法就是寻找更具胜算的战术。袁崇焕最擅长的战术是什么？守着城，一边跟敌人拼刺刀，城楼上大炮轰。这么一想，我们发现袁崇焕是想用老一套的方式击败皇太极，而在皇帝眼皮底下打败敌人那是非常风光的。

所以，袁崇焕才示弱，把皇太极引到北京城下，然后背靠京城跟皇太极展开血战。这个战术确实非常高明，可惜的是袁崇焕千算万算，就是算漏了一个因素：这里是皇城！你把战争引到皇帝家门口，这是巨大的错误。

也许，这才是孙承宗为何下令袁崇焕在城郊将敌人歼灭的原因。看到袁崇焕不能理解自己的苦心，孙承宗派人以皇帝使者的名义告诫袁崇焕：皇上呢，对你一直很看好，也相信你忠诚为国；你虽然打了几场漂亮仗，但也做错了不少事，杀毛文龙就不应该，现在把军队驻扎在城外更不应该；很多人怀疑你，你要好自为之，为国效力，否则，神仙也救不了你。

十一月十七日，袁崇焕来到北京城下。他前脚刚到北京，皇太极后脚就到了。给人感觉好像皇太极是跟着袁崇焕来的，这也难怪当时有人怀疑袁崇焕了。民众掌握的资料和信息不全，只能根据表象来判断。

当时，明朝是有规定的，边防军队，没有经过皇帝允许是不许驻扎在皇城脚下的。事情到了这地步比较严重了，虽然事情突然，袁崇焕至少得请示一下皇上，讲明自己为何要在京城下面守城。

崇祯在我们印象里是一个非常暴虐的皇帝，看到袁崇焕来京了，就召他进城。反正你来都来了，如果我这个皇帝拒门不见，搞不好真把你往通敌的路上推。

说实话，崇祯皇帝一肚子火，让你看着皇太极，结果他打到京城来了；你带兵勤王，结果又不跟皇太极交锋，现在还带兵来到城下面。

听说崇祯召见自己，袁崇焕感觉不太对劲儿，所以他脱下官服，穿着一身布衣，戴着黑帽子去见皇帝。

然而，崇祯看到他，并没有出现袁崇焕想象中的那一幕："你怎么搞的？怎么让皇太极打到京城来了？"

相反，崇祯脱下自己的大衣，披到袁崇焕身上。袁崇焕很不解地看着崇祯，心想：这是什么意思？

两人互相说了许多关心的话，末了，袁崇焕提出一个要求："我的士兵们这些天辛苦了，希望皇上能够让他们进城休整。"

崇祯果断地回答：不可以。这是可以理解的，在明朝，边防军队未经允许进驻城下都是违法，入城的话就特别过分了。

可能从这时起，崇祯就动了杀机。当然，杀袁崇焕还得等他赶走了皇太极再说。

北京城保卫战开始了，袁崇焕亲自带着九千人迎敌，莽古尔泰、多尔衮、多铎等率领四万大军向袁崇焕冲过去。莽古尔泰认为他这四万人冲过来，可以把袁崇焕部队冲得稀里哗啦。

想法是好的，现实总是残酷的。莽古尔泰先冲击袁崇焕的左翼，可惜老袁指挥的军队很稳固。接着，莽古尔泰再冲击袁崇焕的右翼，怪了，还是很稳固。没办法，莽古尔泰只好先撤下来，琢磨琢磨。

琢磨来琢磨去，莽古尔泰决定一窝蜂地扑过去。结果很惨，莽古尔泰很惨，被人打伤了，贝勒阿济格被乱箭射成重伤。莽古尔泰搞不懂，怎么自己的人数这么多，居然被对手打得节节败退。但莽古尔泰不轻言放弃，战斗一直持续到晚上，莽古尔泰最后不得不撤退了，明军胜利了。

那边皇太极亲自攻打德胜门，结果也没有讨到好处，这一战满桂身受重伤。皇太极还不罢休，决定发动最后一击，于是开始了左安门之战。这一战，尽管皇太极使出了全力，还是败在了袁崇焕手中。皇太极只好暂时撤退，驻扎起来。然而，等待袁崇焕的是死神。

这一天是崇祯二年（1629 年）十二月一日，袁崇焕接到皇上圣旨，召他进宫。皇上还让他带上祖大寿等人一同进宫。

打了胜仗，论功封赏是常事，袁崇焕带着祖大寿等部将一起往城里跑。奇怪的是，来到城门前却没人打开城门。就在袁崇焕百思不得其解的时候，楼上放下了几个筐子，让袁崇焕等人坐在筐子里，然后拉上来。

这种召见的方式非常奇特，我们不知道袁崇焕坐在筐子里是什么感觉，但前往皇宫的路上他还是挺高兴的。

可是见到崇祯时，他傻眼了，这个崇祯一改往日礼贤下士的姿态，厉声质问袁崇焕："你为什么要杀毛文龙？敌军为什么能长驱直入，进攻北京？你为什么要打伤满桂？"

袁崇焕沉默了，因为他知道明朝皇上要整自己，皇上问这些问题不是让自己回答，而是找整人的借口。杀毛文龙那是很早的事了，崇祯当时不提，现在提出来，那自然是翻旧账；至于敌军长驱直入，袁崇焕相信崇祯也是明白的，皇太极绕道蒙古，跨越长城，避开了关外防线；至于最后一个问题，对袁崇焕来说就更荒唐了，因为他都不知道满桂受伤，但京城里有人传言满桂是袁崇焕让人击伤的。

对这些问题，袁崇焕都没有回答，因为他知道任何回答都只会火上浇油。

看袁崇焕不说话，崇祯稍稍满意，沉默就代表认罪。来人呐，把袁崇焕押进大牢。

崇祯这个表现让在场的人都大吃一惊，现在敌师大军压境，居然关押抗敌的主帅。

拿下袁崇焕后，崇祯让满桂接替袁崇焕成为总指挥，祖大寿率领袁崇焕的军队。崇祯满以为这样安排不会让军队哗变，事实上他还是错了，理论上这个安排很合理，但是他忽略了人的情感。祖大寿是袁崇焕一路提拔起来的，可以说对袁崇焕既感恩又怀着敬意，你现在这么突然一下子把我的恩师下狱，虽说提拔了我，但你可以拿下袁崇焕，也可以拿下任何人，保不准有一天你对我举起屠刀。

虽然崇祯对大家说："这事只与袁崇焕一人有关，大家还是各就各位。"

袁崇焕被抓时，祖大寿一句话都没说，不过根据史书记载，祖大寿当时发抖了。祖大寿发抖不是因为心理素质差，而是他无法接受这个事实，奴贼曾经横行无忌，好不容易出了个袁督师打得他们头破血流，结果袁督师不但没有功劳反而有罪。

三天后，祖大寿看崇祯还没有释放袁崇焕，带着部队离开了京城，回到锦州。

这下，崇祯急了，这时兵部职方司郎中余大成建议说："让祖大寿回来也容易，只要让袁崇焕给他写一封信。"

崇祯想，这好办啊！让袁崇焕写就是了，袁崇焕也不能不写，除非他不想活命。当然，架子肯定是要摆的，不摆架子失去了谈判的资本。

没办法，崇祯只好让内阁大学士和朝中九卿轮流去狱中说服袁崇焕，这些人晓之以理、动之以情，袁崇焕就是不写，看在这么多人锲而不舍的面子上，终于给出个理由："皇上如果有诏书，让我写信，我当然会写。再说，祖大寿之所以听我命令，因为我是督师，现在我是监狱里的犯人，就算写了也没用。”

袁崇焕的意思很明白，皇上你把我放了，官复原职，什么事情都解决了。但这样一来，皇上的脸还往哪儿搁？为了脸，崇祯坚决不低头，不肯下旨，只是派太监和大臣对袁崇焕进行思想轰炸。最后，还是老谋深算的余大成把袁崇焕说服了，他对袁崇焕说：“你的忠心和功劳，天下人都知道。所谓君要臣死，臣不得不死，我们还是要以国家大局为重。”

“国家大局”四个字打动了袁崇焕，袁崇焕终于为国低头，给祖大寿写了一封信。祖大寿收到袁崇焕的信，大哭，哭完之后立刻带兵回北京。

十二月二十七日，皇太极休息得差不多了，考虑到袁崇焕已经下狱，决定集中所有兵力，狂攻永定门。满桂在城下带着四万兵马，和皇太极展开了一场惨烈的战斗。

结果是满桂战死，明军伤亡惨重，但守住了城门，打退了敌人，而且让敌人损失很大。皇太极只好再次撤退，驻守在遵化附近，等待有利时机再出击。

此时，崇祯为他的刚愎自用付出了代价，各地勤王的军队超过二十万，但大家都不敢随便出战。袁崇焕下狱之后，各地兵马人心涣散，大家都搞不懂这个喜怒无常的皇帝。打赢了是死，打输了也是死，只有按兵不动最安全了。

孙承宗是袁崇焕的恩师，他当然不希望袁崇焕死，所以他一面安抚祖大寿放心打仗，立功后为袁崇焕赎罪；一面上书崇祯，请求从轻发落，让袁崇焕的部将赎罪。崇祯选择了沉默。

主张杀掉袁崇焕的两个最强硬的人是首辅温体仁和兵部尚书梁廷栋，当然朝中希望杀袁崇焕的大有人在，加上崇祯本来就对袁崇焕比较反感。所以，袁崇焕的罪名最终定了下来：谋逆。兵部尚书梁廷栋极力主张灭袁崇焕三族，后来因为余大成出面才避免了。

余大成半威吓半开导地对梁廷栋说："袁崇焕其实并没有罪，这一点大家都心知肚明，只不过是金兵围城，皇上愤怒，需要发泄一下而已。跟你说吧，我在兵部做郎中，已经换了六位尚书，没有一个尚书有好下场。你现在做兵部尚书，如果有天金兵又打过来了呢？你今天灭袁崇焕三族，等于是开了一个先例，以后如果有问题，你得考虑考虑自己三族啊！"

事实证明余大成是很有预见力的，果然后来梁廷栋畏罪自杀。

梁廷栋一听，浑身起鸡皮疙瘩，最后和温体仁商议后，决定给袁崇焕定罪为凌迟，家人充军，母亲家和妻子家的人就不牵连了。

袁崇焕是很悲剧的，刽子手还没动手，老百姓就扑过去咬他。北京的老百姓被皇太极抢掠一番，满心都是悲愤，大家认为是袁崇焕把八旗军引了过来。这就是一代英雄袁崇焕的下场。

袁崇焕被杀这件事情沉重地打击了明朝军队的士气，在袁崇焕入狱后，明朝就出现了整支军队沦为流寇的事件；袁崇焕被杀后，明朝出现了整个部队向皇太极投降的事情。

其实，崇祯对杀袁崇焕也是比较犹豫的，从将袁崇焕下狱到最后将他凌迟，中间有八个多月的时间。中途，崇祯也想过把他放出来，再去守边。但最终，皇太极走后没过多久，才一个多月的时间，崇祯就动手杀袁崇焕了。一旦危机解除，袁崇焕就显得没那么棘手了。难不成没有袁崇焕国家就不行了？崇祯不信邪。

在杀大臣这块，崇祯可以说深得老祖宗朱元璋的真传。崇祯当了十七年皇帝，换了五十个大学士（当时的大学士相当于丞相级别）、十四个兵部尚书。此外，他逼死或者杀死的督师包括袁崇焕在内有十一人，杀死巡抚十一人，逼死一人。兵部尚书中，革职的我们就不说，王洽被处死，梁廷栋和张凤翼服毒死，杨嗣昌自缢身亡，陈新甲被斩首，傅宗龙、张维国被关进大牢里……

第五章　大凌河之战

皇太极是一个仁君，没有处死阿敏，只是把他幽禁起来。打掉阿敏集团是皇太极树立个人权威的一个开始。树立权威不是一天能做到的，皇太极能够做到有步骤、有程序、有条理地掌控权力，已经说明他是一个高明的政治家，甚至可以说得上英明。

阿敏的问题

天聪四年（1630 年），皇太极有个大手笔，打掉了后金国的第三号人物——二贝勒阿敏。

我们知道，当年努尔哈赤就打掉了阿敏的老爹舒尔哈齐，现在努尔哈赤的儿子又开始对舒尔哈齐的儿子动手，子承父业大抵如是。

阿敏犯了什么错误呢？说实话，阿敏的错误也让人非常不理解。他的第一个错误是在征讨朝鲜的时候，纵容部下大肆抢掠，而且把抢掠的东西都运回来。看到这里，让人很纳闷了，打仗不就是为了财物吗？皇太极自己也是个抢劫高手，怎么这时就不理解阿敏呢？而且阿敏也没贪污啊，东西都运回来了。联想一下皇太极曾经提出的仁政，我们就明白了。阿敏破坏了皇太极的光辉形象，当然应该被整。阿敏犯的第二个错误更让人不理解了，这是什么错误呢？三个字：打不赢。天聪四年（1630年）五月，皇太极攻下了北方四城：永平、滦州、迁安、遵化。皇太极让二贝勒阿敏和贝勒硕托带领五千人镇守。阿敏自己镇守永平，总共才五千人，又拨了一些让其他人分守三城。

当时，明朝派遣孙承宗这个老资格的首领收复北方四城。孙承宗确实很厉害，第一天就收复了滦州，第二天又攻下了迁安，这阿敏看形势不对，又不好意思就这么跑回去。皇太极本来就看自己不顺眼，给他逮住错，那还了得？事实上，阿敏猜得没错，皇太极就想整他。

阿敏硬着头皮跟孙承宗打了一仗，结果五千人死得只剩千余人，阿敏自己也挂彩了，这才心安理得地逃了回去。就此，北方四城在阿敏手中全部丢失，整个时间只用了五天。听到阿敏逃跑的消息，皇太极当然非常气愤，非常震惊，非常失望。表演完这些复杂的情绪后，皇太极才平静下来，开始着手收拾阿敏。在这次事件中，阿敏又犯了一个皇太极非常忌讳的错误，他逃跑之时杀掉了大量归顺的汉民。

怎么收拾阿敏呢？皇太极分五步走，每一步都走得非常扎实，旨在让阿敏心服口服，哑口无言。

第一步是没收赃物。皇太极说："以前我体谅阿敏打仗辛苦，三次让他把战利品带回家。这次，他居然抛弃我打下来的城池，杀害归顺我的老百姓，还把城里的财物都据为已有。这种行为实在难以容忍，现在我必须没收他的赃物，全部充公。"

大家都知道贪污受贿是不对的，皇太极这个做法让大家心服口服。

第二步是不让阿敏入城，听候惩罚。阿敏郁闷了，作为后金国的第三号人物，受到这种闭门羹待遇，应该说是他始料未及的。更可气的是，皇太极允许他的士兵入城，就是不准阿敏进来，换成谁估计也气得差不多了。

第三步是审讯，有问题的人一个个审，谁也别想逃脱责任，而且皇太极亲自到法院旁听。审讯的问题围绕着：为什么弃城而逃？为什么贪财怕死？为什么不跟敌人拼个你死我活？为什么把归顺的老百姓大批屠杀？

阿敏估计自己没法回答得让皇太极满意，干脆全部认罪。

第四步就是关押了。当然了，口才了得的皇太极少不了要对大家来一段训话。皇太极来到监狱里，看着这些曾经跟自己出生入死的将士，潸然泪下，问道："才几个月的时间，难道明军突然就神灵附体了？哪里有什么神仙魔鬼，都是你们没有斗志啊！那些汉人，打起仗来什么德行我们早见过了……”

皇太极动情的演讲结束后，监狱里哭声一片，大家都泪流满面，包括皇太极自己。最后，皇太极微笑地离开监狱。

第五步是甄别好坏，问题大的就处理，问题小的可以留用。表面的规则是作战勇敢的可以留用，贪财胆小的继续关押；真实的规则是阿敏死党坚决打掉，不是死党的都可以出狱。

五个步骤走完之后，皇太极才真正开始动手对付阿敏。阿敏问题是一个非常敏感的问题，皇太极召集了所有的贝勒大臣讨论阿敏问题，让他们放心地揭发和控诉。贝勒和大臣们不负所望，经过详细的材料分析，整理出阿敏的十六大罪状。

这些罪状经过专家组讨论过，条理清晰，逻辑严谨，有根有据，阿敏就是长了翅膀也难脱身了。

总的说来，阿敏的罪行就一点：对皇太极有意见，有非分之想。

皇太极是一个仁君，没有处死阿敏，只是把他幽禁起来。打掉阿敏集团是皇太极树立个人权威的一个开始。树立权威不是一天能做到的，皇太极能够做到有步骤、有程序、有条理地掌控权力，已经说明他是一个高明的政治家，甚至可以说得上英明。

围攻大凌河

孙承宗收复北方四城后，亲自巡关经过实地考察后，他建议崇祯现在最要紧的是修复大、小凌河两城，这两城就像两把锁链一样，可以和山海关连成一条防务链。

崇祯表示同意，让孙承宗先修大凌河。大凌河位于锦州以东三十里，是锦州的一个前哨。由于这座城池的关键地位，孙承宗让祖大寿负责这项工程。

皇太极的侦察行为做得非常不错，明军修筑大凌河的事情很快就传到皇太极的耳中。明朝总兵祖大寿和何可纲等人率领关外士兵和一些民夫修筑大凌河，准备抢在八旗军未到时竣工。

祖大寿率领的是明朝最精锐的士兵，只要把这支军队消灭了，等于是卸下崇祯的一条膀子。

战争之前，皇太极照例是要演讲的，他动员道："从古至今，打仗这东西向来是有道者能打赢，无道者要失败。这是屡试不爽的天道。所以呢，我们打仗，绝对不可以仗着武力肆意滥杀，这样只会导致失败。用兵之道，最关键的是顺应天理，行仁义之师。天道这个东西是循环的，现在天意站在我这边，明朝的老百姓迟早也是我的老百姓，所以希望你们能善待老百姓，严格遵守军纪……"

天聪五年（1631 年）七月二十七日，皇太极祭拜太庙后，即刻率领大军出发。渡过辽河后，皇太极又开始了一次演讲，这次演讲的内容更长，还是老调重弹，什么老天站在我这边，什么军纪大家一定要遵守，什么只要有信心打仗一定赢，什么将军和士兵大家要互相爱惜……

虽然这些东西有点儿烦人，但确实很有效果。

八月初一，蒙古的一些部落前来和皇太极会师，皇太极给他们接风洗尘后，再次把自己的军纪跟蒙古人重申了一遍。

皇太极军抵大凌河时，城墙已经修完，雉堞完成一半。在城下俘获了一个人，得知修城工作已经进行半个月，城内大概有一万五千兵马。

当天晚上，开会的时候，大家都主张攻城。皇太极经过认真思考后认为，以前攻城吃了许多闷亏，与其攻城不如围城。等到城内粮食断绝后，自然不战而胜。

皇太极是个鬼点子特别多的人，他围城还围出了特色，用一个月时间让人在城池周围挖了一个圆圈，投降不，不投降困死你。

现在祖大寿唯一指望的是朝廷的援军，他已经让人给崇祯皇帝发送了急报。孙承宗接到消息，派吴三桂的老爸吴襄领一万人马去救援，据说三桂兄也在里面。你来救援，很好啊，攻城我不行，野战我还是挺厉害的。皇太极一招围点打援，明军来多少都在外面阻击。这招还真管用，吴襄硬生生被皇太极打了回去。

回去后，孙承宗拨出一支更大的人马，总计四万人，由张春率领。张春是个聪明人，赶到大凌河附近的时候，不但不进攻，还摆出防守的架势，等皇太极来攻。这张春算是有自知之明的人，他知道如果跟皇太极的军队在野外对砍的话，那是相当不划算的一笔生意。

张春建立营寨后，架起一排排大炮，就等皇太极来攻。皇太极没有让他失望，派出最精锐的骑兵，左右两路同时出击，攻击张春的两翼。事实证明，大炮的威力在当时是无可比拟的，几轮进攻下来，后金部队损失惨重。

就在张春为胜利而欢庆的时候，皇太极拿出了他的撒手锏：大炮。

当后金的部队朝张春开炮的时候，张春产生了错觉，以为是自己这边的人不小心搞出来的乌龙。当对面的炮弹不断飞过来时，张春才终于明白，敌人也有大炮。

其实，皇太极很早就对大炮感兴趣，早就委派一些人专门研究这门高新武器，造出了三十门大炮，拿出来试用，效果还不错。

这件事震惊了张春，眼看战事发生变化，他决定亲自上阵督战，希望能稳住军心。跟张春一起来的还有吴三桂的老爸吴襄，吴襄是一个猛将，而且又是本地人，熟悉地形，熟悉敌人。原以为带着他可以如虎添翼，没想到这不是翅膀，而是风筝，看到事情不对劲儿，吴襄就像断线的风筝一样挣脱张春，自己逃跑了。

战事紧急的时候，如果有一队人马逃跑，那是非常危险的信号。果然，吴襄撒腿逃跑树立了“榜样”，大家开始了失败大逃亡，皇太极的铁骑冲上去，左砍右切，四万大军就这么没了。

祖大寿在城楼上看着这一切，几乎要绝望。现在留给祖大寿的只有一条路：突围。

祖大寿决定从南门突围，因为这里的守将是有勇无谋的莽古尔泰，不过莽古尔泰也不是那么好欺负的。祖大寿是拼了命要往外冲，莽古尔泰是拼了命要堵住祖大寿，双方厮杀得非常惨烈，均伤亡惨重。

莽古尔泰眼看抵抗不住，让人去向皇太极求援。然而，皇太极虽然答应了他，但援兵迟迟不到。莽古尔泰自知被弟弟忽悠了，一抹泪水，带着自己所有的兵力冲了上去，才把祖大寿堵回城里。

这事让莽古尔泰很上火，他找皇太极理论，说兵力太少，实在没法防，要求换防。皇太极一副爱理不理的样子，莽古尔泰一气之下，居然拔出刀子，要砍皇太极。幸好被及时拦住，才没出大事。

后来，莽古尔泰意识到事情的严重性，越想越怕，连夜找到皇太极低头认错。皇太极一方面是个卓越的政治家，另一方面也是善于权力争斗的一个人。如果没有他这些兄弟的支持，他是很难上台的，但上台之后他最大的目的就是除掉这些兄弟。所以，每到打恶仗硬仗的时候，他总是把自己的兄弟派遣到最危险的岗位上：如果兄弟战死了，可以嘉奖他为国捐躯；如果战事失利的话，回来正好借故整死兄弟。

莽古尔泰后怕是有道理的，因为战事结束后，皇太极就把他关进牢房里，不久就莫名其妙地死去。

突围失败，祖大寿困守孤城。

皇太极绞尽脑汁要招降祖大寿，但祖大寿就是不理他。皇太极是一个很有耐心的猎人，他丝毫没有动怒，反而很欣赏祖大寿这种硬骨头。

祖大寿确实挺难的，因为粮食早已经吃完。刚开始几十天，大家把几千匹马宰了吃。马吃完之后呢，就只能吃人了。

看着这些，祖大寿快崩溃了，没办法，只能投降了，这样下去，就算不战死，大家基本上也把自己的人吃得差不多了。所以，祖大寿一说投降，大家纷纷表示赞同。

唯独一个人反对投降，这个人就是副将何可纲。何可纲说，饿死事小，失节事大。祖大寿认为，绝对不能因此而盲目抵抗。你不投降，行，那我就杀了你。何可纲于是被祖大寿斩首。

祖大寿投降之后，皇太极对他很友好，甚至不让祖大寿跪拜，见面之后互相拥抱，宴席上还让祖大寿跟自己并肩坐在一起。皇太极投之以桃，希望祖大寿报之以李。祖大寿人在屋檐下，是没法不低头了。

祖大寿信誓旦旦地表示，虽然我们是被逼投降（围困三月，率众出降，倾心归汗），但归顺之后是绝对不会有二心的。

若我们违背良心和道义，苍天在上，让我不得好死。当然，大汗不会随后杀掉我和投降将士吧！

应该说，在政治上，除了对自己的兄弟们心狠手辣之外，皇太极还是非常仁慈的，当即表示这个肯定不会的，我皇太极出来混首先讲的是诚信。

表示完了之后，皇太极就问了："大寿，现在我们是一家人了。你说说看，怎么拿下锦州吧！"

祖大寿当然不能回答说我说不上来，而是说这件事得从长计议。一顿丰盛的宴席之后，祖大寿说出了自己的计策。这个计策就是让我回锦州，来个里应外合。

皇太极说这个主意好啊，心里却在想万一你有去无回怎么办？不过，如果我不让他去锦州的话，又表示我不信任他。大家都觉得如果就这样放祖大寿回去，万一回不来损失就大了。

皇太极考虑很久后，说道："现在把大寿留在这里也是浪费，不如让他回锦州吧！即使他反叛不归来，也只是一个人而已，他的这些士兵都已经投降了。我们即使不放回大寿，明朝也会派其他人镇守。即使大寿反叛，我们只要善待他的士兵和子侄，相信以后机会还很多。"

应该说，皇太极对风险的考虑是非常正确的。祖大寿留在后金暂时发挥不了什么作用，放归后有可能献出城，即使没有献出，反正他的家人都在自己手上，以后还有机会。换句话说，放他回去比留在后金的利用价值更大。皇太极善于放长线，能不能钓到大鱼那就是结果了。

十一月二日，祖大寿进城。皇太极听到炮声，知道这是祖大寿发出的信号。皇太极就等祖大寿第二次发出炮响，这就意味着祖大寿已经动手了，埋伏在锦州城附近的后金军队就可以出动了。

可是，第二天皇太极没有听到炮声，第三天还是没有……

就在皇太极对这个人感到失望的时候，忽然收到祖大寿的密信。祖大寿解释说，由于进城仓促，身边人手少，一时之间没法动手，希望皇太极淡定，总会逮住机会动手的。

皇太极心想大寿说的也有道理，不如就多等等吧！这一等又是好多天，皇太极感到极度的怀疑。就在这时，他又收到大寿的一封密信。大寿首先说对不起，让你久等了，然后就说，锦州城防守特别严密，一时半会儿只怕没法动手，你耐心等等吧。

很明显，祖大寿在和皇太极周旋，他所以对皇太极这么客气讲礼，一方面是忽悠，另一方面也是担心皇太极为难自己的亲属和士兵。

现在我们大概明白祖大寿为何杀何可纲了，杀何可纲可以取信于皇太极，找准机会走人。虽然他们抗争的方式不一样，但最终的目的是一样的。一个是玉石俱焚的刚烈，一个是曲线救国的手腕。

就像祖大寿解释的，自己人手不够，没法下手。许多人由此推断祖大寿是真降，这种看法不太靠谱。因为不久，祖大寿就当上锦州城的守将，换句话说，只要他一声命令，可以立刻打开锦州城。

在此之前，锦州城的守将是邱禾嘉，邱禾嘉做事非常认真细心。虽然祖大寿对他没说真话，但他已经派人多方查证，得知祖大寿投降一事。邱禾嘉将这事报告给崇祯，崇祯看了之后暂没有表态，而让祖大寿取代邱禾嘉的地位，镇守锦州。

崇祯杀了袁崇焕后，祖大寿已经有“不听话”的行为，投降的可能性是很大的。崇祯为啥睁一只眼闭一只眼？还是人才的重要性，不光皇太极知道人才宝贵，崇祯也是知道的。有人会说了，崇祯知道人才的重要性，为啥还要杀掉袁崇焕？

可能这也和袁崇焕的性格有关系，崇祯刚开始的时候并没有想杀掉袁崇焕。祖大寿和袁崇焕的区别在于，袁崇焕个性鲜明，而祖大寿则非常低调。

大凌河之战，孙承宗非常倒霉。最坚定地主张修墙的是他，现在墙没修好，敌人就冲了过来，把墙砸得稀巴烂，还把整个修城的队伍给没收了。一时间，朝野上下的唾沫全都飞向孙承宗。孙承宗受不了，辞职走人。

十年之后，皇太极再次攻打锦州，将锦州围困了一年，祖大寿才投降——这次是真降。不过，投降之后的祖大寿碌碌无为，始终没有为清军效力。皇太极其实也不是特别需要祖大寿效力的，他需要的是以他的投降作示范，后面招降更多明军将领。

投降不分先后

优降政策是战场上的攻心之计，虽然祖大寿招降得不是特别成功，但已经为皇太极带来了巨大的政治效益。如果没有祖大寿榜样的力量，后来孔有德、耿仲明、尚可喜的归顺或许不会那么顺利。

孔有德、耿仲明、尚可喜都是毛文龙得力的部将，毛文龙一死，他的副手陈继代领职务。陈继的能力差点儿，刚开始有袁崇焕罩着，还能勉强压住局面。后来，袁崇焕死了，皮岛上人心思动，发生了兵变。虽然明朝政府最终平息了纷争，但岛上人心涣散，许多人不想继续在岛上待了。

孔有德和耿仲明带着一班人马投奔了登州巡抚孙元化。孙元化和徐光启是同学，都是明朝了不起的科学家。孙元化的才能主要体现在武器研究方面，炸药大炮之类都是他研究的项目。他还懂葡萄牙语，这样的人在当时是稀有之物。

听说孔有德和耿仲明来投奔自己，满脑子全是武器弹药的孙元化欣然同意。

孔有德和耿仲明这两人并不是什么好人，否则后来也不会投靠了清朝，还成为"三藩"。这两人典型属于自身利益至上的类型，他们之所以服毛文龙是因为毛文龙好酒好肉地招待他们。收了这两个人，也是孙元化倒霉。

当然，这两位既然跟着孙元化，也想好好过几天日子。刚开始的时候，这两人还算听话，不过后来就出状况了。

皇太极围困大凌河的时候，明朝廷要调兵救援。孙承宗让孙元化出兵，孙元化就把孔有德派去了。孔有德二话没说，就带兵去救援。然而，半路上发生了意外，说来也不是什么大事情，到孔有德手上却变成了大事情。

军队走在半路上，几个兵油子想补充下营养，居然跑到老百姓家里抢了几只鸡。这种事在当时应该是家常便饭，没想到当地老百姓非常彪悍，发现这事后也没哭着嚷着让你赔鸡，而是直接把当事人抓住狠扁一顿。

这事传到孔有德耳朵里，他很上火，不就几只鸡吗？孔有德是什么人物，连皇太极都不敢欺负，当地老百姓这种做法无疑极大地挫伤了孔有德的自尊心。

盛怒之下，孔有德索性让部下放心地抢，大胆地抢，洗劫了河北的六个县。这件事的性质非常恶劣，孔有德敢这么做，不是活腻了，而是拿定主意造反了。

抢完的财物权且当作造反的物资。1632年正月，孔有德非但没有去救援祖大寿，反而带兵掉头回登州，打算端掉孙元化，以登州做大本营，开始造反。耿仲明在登州城内做内应，两人这么一反水，很快就拿下登州城，孙元化沦为俘虏。

毕竟是自己前任上司，孔有德也没为难孙元化，只是把他留为人质，想跟明朝廷谈判。

崇祯当然不会跟孔有德谈，立即派遣大军镇压叛乱。孔有德知道事情闹大了，非常担心。事情到了这个地步，孔有德知道再也没有回头路，也算他有良心，觉得自己的前任上司孙元化在这件事情上非常无辜，便把他放走了。

孔有德应该说做的是好事，但没想到却害死了孙元化。孙元化脱身后立即向京城飞奔。他回到京城，崇祯非但没有任何感动，反而把他逮捕，审问之后判了死刑，没多久就砍了头。

崇祯先是委派谢琏为莱州巡抚，这谢琏也跟孙元化一样，是个知识分子。谢琏到莱州后，不但没有能够剿匪，反而被匪徒给围住了。孔有德将莱州城团团围住，攻城孔有德不是很内行。双方就此陷入僵局。

朝廷听说巡抚不但没有剿匪成功，反而被围，大为吃惊，又派出了一拨援兵。

孔有德急了，下令要不惜一切代价拿下城池，结果还是攻不下。强攻不行，只好智取了。孔有德让人给谢琏送去一封信，说是愿意投降，希望谢大人笑纳。这倒是奇事，围城一方居然向被围一方投降。稍稍有些头脑的人都不会相信这个，但谢琏居然相信了，理由是朝廷的援兵马上到了，孔有德害怕了，投降是明智的选择。

谢琏决定亲自去受降，为了显示诚意，他还让莱州的总兵跟自己一起出去迎接孔有德。莱州总兵是从底层摸爬滚打起来的，强烈建议谢琏不要相信孔有德，可惜谢琏一门心思“以德服人”，执意要出城受降。

接下来这一幕很多人可以猜到，谢琏出城后，孔有德热情地招呼他，最后直接把他绑架了。孔有德以谢琏为人质，企图让莱州城投降。

孔有德让谢琏在城下面喊话，谢琏的表现很让他失望，他对着城上高呼："一定要坚守，等待援兵到来！"

按一般的剧情发展，城楼下的贼兵肯定大怒，拿谢琏开刀。真实情况并不是这样的，贼兵并没有杀掉谢琏。倒是城楼上的总兵很听话，将炮口对准贼兵密集区，狂轰滥炸。果然下面死伤一大片，贼兵的密集区就是谢琏所在的地方，谢琏就此为国捐躯。

谢琏死后，孔有德觉得还是趁早脚底抹油，不要打莱州的主意了。

山东半岛基本上控制在孔有德的手上，他手中有四五万兵力，一般的明朝军队还干不过他。崇祯为防事态扩大，派了两个猛人过来，一个是朱大典，一个是吴三桂。

朱大典是新任山东巡抚，虽然也是个知识分子，但是饱读兵书，很有军事才能，性格也非常坚定，跟袁崇焕有点儿像。吴三桂是先锋，率领关宁铁骑，在莱州附近和孔有德遭遇，大败孔有德，追赶孔有德几十里，这一战孔有德损失近万人。

孔有德狼狈地退回登州城。

但接下来朱大典傻眼了，能不能攻下登州城，他毫无把握，因为登州城的城墙实在太厚了。

登州一直是明朝的军事基地，往关外各个要塞送粮食都是从登州出发，所以登州城修得非常坚固。而且，自从一根筋科研专家孙元化来到这里，将城墙修得更加坚固。孙元化主要是从事大炮研究，他是根据城墙抗击大炮的击打能力来修的。

所以，朱大典很怀疑自己能攻下登州城。

不过，幸好孔有德虽然狡猾，毕竟不是智力型人物，他不知道孙元化在登州城的防御上下了多大的功夫。加上手下的怂恿，孔有德决定充一回好汉，出城迎敌。出城作战的是孔有德的部将李九成，李九成是一个猛将，不过在关宁铁骑面前，他还是输得毫无悬念，不仅输了，连自己的命都丢了。

看到李九成死得那么惨，孔有德只有一个念头，三十六计，走为上计。幸好，孙元化在登州城的时候把城池扩建到海边，孙元化原本是方便自己逃跑的，没想到竟然方便了叛军逃跑，天意弄人。

孔有德实在很像一个混混头子，不是一个优秀的领导。他逃跑还不是带着全军逃跑，而是带着一小撮亲信偷偷逃跑，当然还带上了这些日子抢过来的东西，以备东山再起之需。孔有德的想法很缺德，他连夜逃跑，以为可以做得神不知、鬼不觉，实在是错了。当兵的都不傻，主帅一逃跑，大家很快就知道，顿时城内乱作一团，大家抢着跑。

没想到逃到海上的时候，竟然也能遇到埋伏。孔有德得意扬扬之时，万没有料到黄龙会出现在前方。黄龙是谁，以前皮岛的总兵，也就是孔有德的顶头上司。当年孔有德投靠孙元化就是因为在黄龙这个人手下很难混，可见黄龙的厉害。

这场海战俨然是一方对另一方的屠杀，毛文龙之子毛承禄就是在这场战争中被抓住的，而孔有德呢，常年在外混，练就了一流的逃命水平，总算捡回一条命。

毛承禄被送到北京后，受到了跟袁崇焕一样的待遇。

孔有德痛定思痛，现在整个大明都在通缉自己，抓到了肯定是杀千刀；要想保住这条命，睡个安稳觉，只有推翻大明了，但凭自己的能力是完全不可能的。放眼四顾，最有可能推翻大明的还是皇太极，当时李自成还没有出头。

听说孔有德投降，皇太极非常欢迎，不仅欢迎，还用最高的礼节接待他。皇太极让孔有德和耿仲明享受到贝勒的待遇，丧家犬孔有德自然感恩戴德，要为皇太极做点儿实事。孔有德为皇太极挖过来一个人——尚可喜。

第六章　消灭林丹汗

有道是“攘外必先安内”，联姻也是安内的一部分。虽然皇太极首先给代善娶老婆，但这并不代表他跟代善关系友好，只是出于一种尊敬长辈的礼貌。皇太极一如既往地看代善不顺眼，而且是越看越不顺眼。一个人权力欲望膨胀之时总是看不惯那些分享他权力的人，这个是可以理解的。

终于啃掉硬骨头

林丹汗是努尔哈赤的死对头，努尔哈赤解决不了的问题遗留给了皇太极。

天聪元年（1627年），林丹汗对蒙古的几个部落发动进攻，准备搞垄断经营。这些部落联合起来，组织了一支十万人的军队，双方在今天的呼和浩特市大打出手，两败俱伤，而且伤得很重。

林丹汗在当时的漠南是个一号人物，没几个人敢得罪他。这些小部落纷纷寻求皇太极的庇护，皇太极欣然同意，于是该集团组成了以皇太极为盟主的军事同盟，共同对付林丹汗。

第二年（1628年）二月，皇太极率领一支精锐的骑兵在大凌河上游击败察哈尔部落的一个分支——多罗特部，俘获一万一千多人。九月六日，皇太极再次以盟主的身份调集各个部落的兵马，亲自去征讨察哈尔部，一直把林丹汗追到兴安岭，俘获大量的人马。

像林丹汗这样的大财主，皇太极这两刀只能算是给他放放血，而林丹汗就是血气足。要想一劳永逸地解决这个后患，只能割下他的脑袋，放血是不管用的。

天聪六年（1632年）四月，皇太极决定玩点儿大的，一举拿下林丹汗，统一蒙古。出征之前，皇太极对各个蒙古部落训话："林丹汗这老狐狸很不厚道，现在我亲自率大军去征讨。为了保证计划顺利实施，我们必须军纪严明，你们要把我的命令传达给你们的将士，大军一旦起程，一切由军法说了算……"

四月二十二日，大军来到兴安岭，围着兴安岭绕了一圈，连林丹汗的影子都没看到。后来皇太极才知道，原来军中有几个亲察哈尔的蒙古奸细，早在林丹汗出征前就偷偷骑着快马跑出去报了信。林丹汗听到皇太极大军来犯，带着整个部落的人往青海逃去。

这次出征虽然没能抓住林丹汗，但收获还是不少。

五月二十三日，皇太极将大军分成三路。左翼方面，阿济格率领一万蒙古军，扫荡大同、宣府这一带的察哈尔余部；右翼方面，济尔哈朗和岳托率军两万，向黄河一带挺进；皇太极自己率领大军垫后，换句话说，哪路军队发现了林丹汗的大部队，就往哪一路冲。

结果右翼发现了林丹汗的大部队，其时，林丹汗还在半路上逃，正到达黄河边上，听说后面追兵来了，马上以迅雷不及掩耳的速度抢渡黄河。

皇太极突然下了一道奇怪的命令：停止追击。皇太极满意地对大家说："敌人已经逃离老巢，我们的战略目的已经到达，让林丹汗纠结去吧！"

正史夸大了皇太极这次出征成绩，这次出征并没有捞到多少实际的好处，但是从战略意义上来说还是有很大价值的，让不可一世的林丹汗踏上了逃亡的路程，这对他的军队士气打击是非常大的。

天聪八年（1634年），皇太极开始了第三次西征，行军的中途得知林丹汗在青海出痘病死。林丹汗一死，察哈尔部面临散架的危险，他的长子额哲下落不明。皇太极这下高兴了，一方面着手收拾林丹汗的余部，一方面派遣多尔衮等人查找额哲的下落。

多尔衮踏遍青海许多地方，偏偏就是"踏破铁鞋无觅处，得来全不费工夫"。1635年三月末，正在多尔衮苦恼的时候，忽然林丹汗的大妃带着一千五百户众前来投降。多尔衮惊喜万分，谁知额哲不在其中，惊喜打了八折。

可是，随后多尔衮从大妃的口中得知了额哲的下落。这个大妃史称囊囊太后，又叫囊囊大福晋，是林丹汗八大妃之首，归顺清朝后改嫁皇太极，一直活到康熙十三年（1674年）才死。

有了地址，就可以按图索骥了。五月二十七日，多尔衮连夜造船，渡过黄河，抵达了额哲的住地，将林丹汗的妃子苏泰和她的儿子额哲一同抓住。这个苏泰后来改嫁舒尔哈齐的第六子济尔哈朗。多尔衮这次可是立了大功，他不光找到了察哈尔部唯一的合法继承人，还找到了另一件宝物：元朝传国玉玺。

多尔衮不知从哪儿得来的小道消息，听说传国玉玺在苏泰的手中，便向她伸手。多尔衮伸手，很少有人能拒绝，何况是阶下囚苏泰。多尔衮拿到传国玉玺后，非常兴奋，让人急报皇太极，写着："我偶然拿到了传国玉玺，这玉玺以前就藏在元朝大内，后来被元顺帝带到沙漠里，自从应昌沦陷后，玉玺就失去了下落。两百多年后，有牧羊人在一个山冈上看见一只山羊，三天不吃草，用蹄子刨地。牧羊人发现，觉得奇怪，便掘地，发现了传国玉玺。最后玉玺被元朝后裔博硕克图拿到，林丹汗灭了博硕克图后，玉玺又落入林丹汗的手中。"最后，多尔衮不忘拍马："大汗你洪福齐天，这是老天赐给你玉玺，将来统一大业就指望大汗了。"

应该说，对待投降者皇太极是非常优待的，除了封额哲为亲王外，还将次女嫁给他。额哲的归附标志着曾经强大的察哈尔部终于土崩瓦解，皇太极通过自己的权柄和智慧统一了蒙古各部。

联姻与打击异己

对于额哲的归降，皇太极是非常重视的。在皇太极阵营里，跟着他打天下的往往还不如中途投降他的。

之后的场面是大家习惯的，皇太极热情又礼貌地接待了额哲等一行人。战败的一方对皇太极非常臣服，而皇太极呢，也对战败的一方非常尊敬，大家在友好又和谐的气氛中开始了宴会。林丹汗的老婆和女儿中不乏美女，宴会的过程中，皇太极等人酒不醉人人自醉。

皇太极一边喝酒，一边想到联姻。联姻是个政治策略，既可以稳定察哈尔部的人心，又可以往自己的后宫里引进几个美女。皇太极这招一箭双雕。

皇太极首先给自己比较看不惯的人联姻，也就是大贝勒代善。自从打掉阿敏和莽古尔泰后，代善就是硕果仅存的老资格了。代善娶了林丹汗的妹妹泰松格格。接下来皇太极又把自己的第二女嫁给额哲，那意思无非是，从今以后你就是我女婿了，别调皮捣蛋，过去的都过去了。第三桩婚姻是将林丹汗的一个妃子伯奇嫁给自己的长子豪格。第四桩婚姻是皇太极的七哥阿巴泰娶了林丹汗的妃子俄尔哲图。第五桩婚姻才轮到皇太极自己，皇太极娶了林丹汗的大老婆囊囊太后。第六桩婚姻是济尔哈朗娶了苏泰。

有道是“攘外必先安内”，联姻也是安内的一部分。虽然皇太极首先给代善娶老婆，但这并不代表他跟代善关系友好，只是出于一种尊敬长辈的礼貌。皇太极一如既往地看代善不顺眼，而且是越看越不顺眼。

代善是一个宽容仁厚的人，如果不是这样的人，汗位也许是轮不到皇太极的。可以说，没有代善的支持，皇太极是很难轻松地登上汗位的。史书记载说代善仗着自己一人之下、万人之上，有些自以为是。

代善有四件事做得让皇太极很不高兴。

第一件事是多尔衮大军凯旋，皇太极打算亲自出沈阳迎接，照例皇太极要摆个姿态询问大家是不是合适之类的。代善说：“当年父汗在时，军队凯旋时，也是出门迎接。现在这么做，确实是符合先例的。”话虽如此，但是欢迎凯旋大军时，代善却提前三天单独行动，换句话说比皇太极早三天去迎接多尔衮。这难免让皇太极很不愉快，给不给面子是次要的，让人怀疑代善是不是跟多尔衮有什么阴谋。

第二件事是皇太极长子豪格娶了林丹汗的妃子伯奇，这件事激怒了皇太极的姐姐哈达公主。哈达公主为啥这么上火，因为自己的女儿嫁给了豪格，所以她愤怒地质问皇太极：“我的女儿还健在，你就让豪格另娶妻子，未免太过分了吧！”看在对方是自己姐姐的分上，皇太极没有发飙。不过，代善听说了这事，仿佛为了火上浇油似的，故意大张旗鼓，宴请哈达公主，先是派自己的小老婆去请，后来又亲自上门去请。请来哈达公主后，代善置办了一顿非常丰盛的宴席，席间说了什么话就不知道了，但大家可以想象得到。问题的关键是，代善之前和哈达公主并不友好，现在听说她和皇太极有矛盾，突然向她示好……

第三件事据说是因为一个女人引起的，这个女人就是苏泰，估计她属于风韵犹存、风情万种的那种，所以引起了代善的色心。苏泰的姐姐是济尔哈朗的老婆，老婆亡故后，济尔哈朗看到苏泰便一见钟情，仿佛看见了亡妻一样，希望皇太极能够批准把苏泰给自己。代善听说后，也希望皇太极把苏泰给自己。渐渐地，两人擦出了不少矛盾和口舌。

第四件事是拒绝娶囊囊。囊囊太后是林丹汗的大妃，估计年纪大了，年老色衰，皇太极本来是想让代善娶囊囊的，因为囊囊身份最为尊贵，而代善在后金国也是长者。代善竟公然拒绝了皇太极的要求。皇太极很生气，感觉很没面子，结果自己娶了囊囊。娶了囊囊后，接下来就是动手打击代善了。

一切筹谋好了之后，终于在九月二十五日这天皇太极公开发难。大殿之上，皇太极公开宣读早已准备好的控诉言辞：“自古以来，有通过个人能力当上皇帝的，有通过继承权年幼当上皇帝的，有被众人拥戴当上皇帝的，不管通过哪种方式，都是皇帝。既然是皇帝，就享有至高无上的地位，怎么能够因为他们通过何种方式当上皇帝而产生轻重意识呢？现在我们正红旗的这些贝勒（代善一族），放肆的地方比较多……”

皇太极反问代善的一句话最能体现问题：“为啥我喜欢的你就一定厌恶？为啥我厌恶的你就偏偏要喜欢？你这不是成心跟我作对吗？”

在打击代善之前，皇太极又作了一次精彩的秀：“你们这么违逆我，我只好闭门不出了。你们干脆再推举一个强有力的人当大汗吧！我守着自己一亩三分地，也知足了。”

众位贝勒和大臣听见皇太极这么说，纷纷大赞他英明，代善确实有问题。既然有问题，下一步就是给他制造问题，罗织罪名了。

最后，罗列了四大罪，可见代善的污点还是比较少的。

第一罪：征讨察哈尔时，代善三次请求独自回兵。大家不忘加了一句：“太祖在时，大贝勒敢这么三次请还吗？”一言蔽之，不尊重皇太极。

第二罪：代善的部队平常经常出外渔猎，导致马匹疲劳瘦弱，影响了战斗力。其实，出外渔猎都是经皇太极同意的，翻出这些旧账无非是在说：奉劝你收敛点。

第三罪：欢迎多尔衮凯旋时，代善单独行动，完全不把皇太极放在眼里。

第四罪：哈达公主的老公济农是个蒙古贵族，济农曾经在皇太极的领地哈达叶赫山上围猎。皇太极为这事很生气，代善附和说："济农这事做得不对，怎么能够在皇上的地盘打猎？"后来皇太极公开讨论济农的过错时，代善却矢口否认济农曾在哈达叶赫山上打猎。皇太极认为代善是在狡辩。

皇太极当然不至于处死代善，甚至都不敢罢免他的职位，只是想打击一下代善的气焰，收回部分权力，让代善学会如何和他共处，别老惦记着努尔哈赤时代，现在是皇太极时代了。

后来又有人揭发死去多年的莽古尔泰谋反一事，借着这个机会皇太极又打击了一批异己分子，至此皇太极的权力达到顶峰，所以大臣们纷纷进言让他登基称帝，和明朝的崇祯分庭抗礼。

第七章　皇太极的大清

改元称帝圆满结束后，皇太极效仿中原新皇帝登基，大赦天下，同时任命了一批高官。孔有德被封恭顺王，耿仲明被封怀顺王，尚可喜被封智顺王，俗称三顺王。

内部问题处理得差不多，蒙古也搞定了，皇太极感觉浑身舒坦，以前是强敌环伺，现在唯一强大的敌人就是明朝了。

天聪九年（1635年），时任都元帅的孔有德，终于做了一件“实事”，他向皇太极进言：“以卑职看来，历史上大凡有天命的人，必定会得到天命之符。昔日，周文王听到凤凰在岐山上鸣叫，现在皇上得到传国玉玺，这是非常吉利的征兆。传国玉玺历经两千多年，传到陛下的手中，那真是陛下洪福齐天……”

孔有德拍马屁的功夫绝对是一流的。孔有德一拍，大家跟着拍。这些马屁全都拍到点子上了，皇太极最吃天命帝王这套。

为了龙登九五之尊，皇太极含蓄地推辞了大臣的进言。可是，过了一段时间，大家发现皇太极还当着朝鲜使者的面拿出传国玉玺，祭奠太祖时也拿出玉玺说事儿。中国古代，但凡涉及称帝，新君们都会谦让再三，不把这个秀作足，是不会轻易登基的。

大臣们于是再次进言，皇太极还是拒绝了。大臣们心想，皇太极肯定是想把戏演足，于是接着进言。一遍两遍三遍拒绝都可以理解，到了四五次就让人有点怀疑了，也许他是真不想当皇帝呢！

还是代善的第三个儿子萨哈廉聪明，他正在病中，皇太极探视他之后，他就对大臣们说："只有诸位贝勒出面请求，他才会称尊。"

在萨哈廉的强烈建议下，诸位贝勒纷纷上书，请求皇太极称尊。皇太极回答："善。"

所谓善并不代表马上同意，而是让我先考虑考虑。所谓先考虑并不是真的要考虑，而是先把工作做好。皇太极深感高层人心不齐，所以让萨哈廉组织一次会议，会议中对此问题进行深入讨论后，在以范文程为代表的大臣进言下，皇太极终于决定"顺应天命"。

天聪十年（1636 年）四月十一日，皇太极在文武百官的拥戴下，正式接受宽温仁圣皇帝尊号，改国号为大清，改元为崇德元年。

登基仪式开始了，皇太极在天坛前接受文武百官和各国使者的朝拜，这些大臣纷纷行三跪九叩之礼。接下来是献宝，每个人都准备了一份宝物献给宽温仁圣皇帝。

就在大家都对皇太极顶礼膜拜之时，忽然有两个不识时务的朝鲜使者拒绝行跪拜礼。这是很不和谐的，现场一度出现了骚动，许多人愤怒地表示，赶快把这两个家伙抓起来砍掉。

每当大家情绪很激动的时候，皇太极总是显得很冷静，他非常淡定地说："朝鲜使者罗德宪、李廓无礼的地方实在太多了，这是朝鲜国王对我们不满的表示，他想激怒朕，首先挑起事端，杀了他的使臣，然后好陷朕于不义。不过，朕从不屑于逞一时之气，朕不是一个琐碎的人。就算是两国交战，也没有杀来使的道理，所以，甭理这两人。"

天聪八年（1634 年），皇太极将沈阳改名为盛京，并在此扩建宫殿。

第八章　明朝的失败

这一仗，如果洪承畴不出奇招，是必输无疑的。洪承畴对此也是心知肚明的，洪承畴有什么高招呢？

扫荡京师周边

明朝是一个“大胖子”，皇太极谨记父亲生前的教诲，砍大树要从枝节慢慢砍起。

在对明朝用兵之前，皇太极就定下了军事思想：“避实击虚，留干伐枝。”这个思想的意思是以最小的损失换取最大的报酬。

崇德元年（1636年）五月二十七日，皇太极召集出征的将领们开会，面授机宜：“你们这些即将出征的贝勒大臣，凡大军行进到一个地方，有什么决策的话要大家商议后再行动，切记不要轻举妄动。如果遇到城池，想进攻的话，先判断可不可以攻下，如果可以的话就攻，如果不可以就放弃。大家有什么意见的话，当时就敞开胸怀讲，不要做事后诸葛亮。此外，出征要善始善终，从开始到结束都要严格遵守军纪。”

大军出征一月后，皇太极估摸着阿济格已经抵达长城脚下，便又派出另一支军队进攻山海关。为什么又派出一支军队，皇太极解释说：“阿济格统兵征明朝，马上就要进长城以内了。为了方便他从容进去，我们需要再派遣一支大军，佯装攻打山海关，明军必然会大军支援山海关。”

这招声东击西着实厉害。阿济格率领十万将士，进入长城后第八天就取得了丰富的战果，连败明军七次，俘获万余人。随后，清军经延庆进入居庸关，直逼北京。七月七日，清军来到昌平城下，城内有人做内应，昌平城立即陷落，明朝总兵巢丕昌投降。最后，清军到达北京的西直门。

崇祯很是惊慌，让文武大臣守住各门。阿济格看到这架势，谨遵皇太极的指示，避实就虚，砍伐枝干，没有选择攻打京城，而是围绕着京城周围伐木。对于京师周边的城池，难攻的立即放弃，容易进攻的马上进攻。阿济格没有陷在一城一地中，也没有丝毫的恋战情绪，抢到了东西才是王道。

阿济格带领人马迅速离开沙河和清河，七月十五日，攻克宝坻，杀死宝坻知县赵国鼎。二十一日，攻占定兴，攻克房山，抢劫涿州、攻下固安、进入文安、拿下永清，总之扫荡了北京的西南，抢夺了大量的人畜。随后，阿济格又转攻香河，进入北京东北的顺义，到达怀柔，洗劫西和。八月十九日，清军在密云和平谷一带屯兵。一个多月时间里，清军围绕着北京城打砸抢烧，战果颇多，打了五十六仗胜了五十六仗，总共俘获人畜超过十八万。

当阿济格凯旋时，皇太极出门十里迎接："兄弟，辛苦了，辛苦了……"

据说，阿济格回来时还瘦了不少，皇太极看后感动得眼泪都流了出来。

议和的失败

崇祯十一年（1638年），就在洪承畴和孙传庭把李自成打得只剩十八人的时候，张献忠也放乖了。西北的民变表面上是平息了，崇祯终于露出了多年来难得一见的笑容。崇祯原以为苦尽甘来，大明的天下还是有希望的。就在他期望再用十年的时间振兴明朝时，灾难再次降临。这一年，皇太极再次调动大军进攻明朝，清军分为两路，一路是由多尔衮率领的左翼军，一路是由代善之子岳托率领的右翼军。这两人都很猛，越过长城，对明军发动了猛攻。

当然，每次出征皇太极总要发表演讲。皇太极说："征伐这种事向来不是朕所喜欢的，朕最大的心愿就是天下太平，可惜明朝不是这样想的，所以我们才不得不去征讨。如果遇到不抵抗我军的人，你们千万不要屠杀；即使不想跟我们回来的明军和汉民，只要不抵抗，也不要杀害他们。身为主帅，一定要以国家大局为重，千万不要为了贪一己之功而造成不必要的死伤……”

虽然唠叨，但说出的话句句在理。两路大军派出去后，皇太极决定亲自率领第三路大军去山海关一带，牵制明军。在皇太极亲自率领的大军里，“三顺王”就是先锋，这三个降将终于有了用武之地，那就是炮轰自己的家园，也许可以换种不那么触目惊心的说法，炮轰前任领导。

皇太极这人大脑确实可以，他知道关宁防线很难突破，所以让清军兜个大圈子，跑到密云一带。

密云的守军非常少，因为大家一致认为清军不可能从这里进攻。为啥呢？因为这里地势特别不好，到处是山，而且还是陡峭险峻的山。从这里进攻，还没到达密云，估计也会累得半死。明朝人比较懒惰，比较油，但是他们自己不会干的事，不代表皇太极不会干。众所周知，皇太极是一个非常勤奋的领导，为了入关，为了治国，几乎是殚精竭虑。这世上没有什么他不会做的事，只有想不到，没有做不到。

清军大兵压境的时候，蓟辽总督吴阿衡正在喝酒，他睁着一双醉眼看着城下黑压压密密麻麻的清兵，还没反应过来是怎么回事。等他反应过来的时候，才知道原来都是敌人。可能是喝高了，吴总督一时之间非常兴奋，人来得越多越好，来多少死多少。

吴总督居然仗着酒胆，带着几千人打开城门就向清军杀去。结果很现实，没有出现任何奇迹，吴总督很快就掉下马，为国捐躯了。

密云城破了以后，京城岌岌可危，清军只需一两天的时间就可以到达京城脚下了。朝中照例是一片恐慌，只有崇祯比较淡定。崇祯这次表现似乎不太一样，其实也没什么玄妙的，因为他早就知道这一切了。

半年前，就有人告诉他，今天这一切会发生。告诉他的那个人不是什么明军间谍，而是皇太极本人。

原来，半年前，内乱还没有平息，杨嗣昌给崇祯讲了一个故事。这个故事发生在东汉初年，主人公是光武帝刘秀。刘秀干吗了呢？刘秀跟匈奴议和了。杨嗣昌的故事虽然只讲到这里，那意思很明白，皇上你去跟清军议和吧！有人说，这不是卖国吗？事实上，决策最终还是要根据当时的实际情况。

皇太极整编了蒙古八旗军和汉人八旗军后，清军的军力接近二十万。明朝的军队人数当时也就八十万，在这八十万中真正可以打仗的只有四分之一，而且这四分之一的军队战斗力也比不上清军。

不过，打不过并不意味着也守不住，仗着地形和城池的优势，守应该还是可以守得住的。这是主战派的重要理由。

但是，还得考虑地方的李自成、张献忠这些人。杨嗣昌建议崇祯议和的目的就是攘外必先安内。换句话说，议和只是缓兵之计。

杨嗣昌和崇祯都是明白人，且饱读诗书，刘秀这个故事的下文虽然没说，但彼此心知肚明。刘秀跟匈奴议和后，先解决了国内问题，国内问题一解决，就开始对匈奴穷追猛打，赶得他们满沙漠里逃窜。

当时，知道议和的只有三个人：崇祯、杨嗣昌、太监高起潜。议和这事涉及脸面问题，不能让更多人知道。崇祯是个非常要强的皇帝，真让他向敌人低头，是不太可能办到的，他最后自杀就是因为不愿低头受辱。

杨嗣昌找了一个算命的，让他到皇太极那儿秘密传达崇祯的意思，说是愿意和你议和。皇太极以仁君自居，别人上门索要和平，他总不能不给吧！事实上，皇太极的态度相当好，表示和谈是个好事情。为了表达自己的诚意，皇太极还把军队撤回基地。

和谈这事，迟早得让大臣们知道，否则怎么谈都没用。但是这个建议一提出来，就招致朝野的一片反对，朝堂之上，全是骂声。

这时，还出现了一个硬骨头：黄道周。黄道周外号“黄圣人”，明朝灭亡后依然和清军死战到底。历史学家评价黄道周：守正不能达变，敢于犯颜直谏而阔于事理，律己虽严而于事无补。这个评价应该是公正的。

听说议和的事，黄道周立刻跳了出来，在皇帝面前和杨嗣昌展开辩论。黄道周知识功底是非常扎实的，学的刚好是理学，就辩论才能看，杨嗣昌跟他不是一个级别。一轮犀利言论下来，杨嗣昌哑口无言，因为他说不过黄道周。

崇祯在一旁也帮不上杨嗣昌什么忙，只好出口恶气，将黄道周连降六级，下放到地方去。这口恶气虽然暂时出了，但和谈似乎不可能了，因为黄道周都说了议和是天理难容的行为，是违背人伦的蠢举，而且说得有理有据。崇祯再刚愎自用，也不愿戴上天理难容的帽子。

前面讲到皇太极发兵之前，屡次说自己爱好和平，是明朝对不起自己，诸如此类。其实，皇太极也不完全是作秀，他也在等待明朝议和，等了几个月，明朝毫无动静。

崇祯：一个最能折腾的皇帝

出来混，迟早都是要还的。

为了回报崇祯的“诚意”，皇太极派出自己最豪华的阵容：多尔衮、阿济格、多铎、岳托等人，全部都来了。

京城再度面临巨大的危险。紧急之下，崇祯只好把全国各地能打仗的人都调回京城。首先是祖大寿，这人是猛将，其次还有剿匪高手孙传庭等。

会打仗的人往往不容易驯服，像祖大寿、孙传庭这些人能力很强，但是指挥起来特别费劲儿。就说这祖大寿，能够指挥得动他的人实在太少，连崇祯都指挥不动，只有袁崇焕、孙承宗这样的人才指挥得了他。袁崇焕死后，祖大寿对国家兴亡的姿态有了一些变化。

为了指挥这些桀骜不驯的战将，崇祯必须挑选一个更强的人才行。幸好大明朝也不是没人，袁崇焕死后，还有一个卢象升。亡国时期出现的英雄人物，基本都是悲剧角色，像秦末的章邯、明末的袁崇焕等人，卢象升也是个悲剧。

听说皇帝委以重任，卢象升急急忙忙赶到京城。卢象升也是一个性格坚毅刚强的人，崇祯见了他，开门见山地问："现在怎么办？"卢象升果决地说："主战！"

当时，崇祯身边的杨嗣昌和高起潜脸色立刻刷白，有种无地自容的感觉。

第二天，他就收到崇祯送来的战马和武器。卢象升是个刚直的人，也是一个很容易被感动的人，他决定以死报国。

几天后，清军已经到达通州。此时，卢象升只有三万人马。当然，他虽然性情单纯，但也是一个熟读兵法的人，很有军事才能。他很清楚，如果和清军正面交手，自己这点儿人马是拿出去送死的。所以，他决定夜间偷袭。

这是一个夜晚，这是一个漆黑的夜晚，卢象升面对自己的士兵，下了一道狠命令："刀必见血，人必带伤，马必喘汗，违者当斩！"

事实证明，这次偷袭非常成功，清军没有任何提防，因为他们想不到明军居然敢偷袭他们，他们已经习惯明军抱头龟缩的样子。清军伤亡惨重，就在卢象升带着人马砍杀清军的时候，忽然发现一个大问题：没有后军，无法扩大战果。

原来，高起潜秘密调走了他的后军。无奈之下，卢象升只好下令撤退。

卢象升找到杨嗣昌，义正词严地说：“你们这样搞是行不通的，我现在负责防卫京城，你们如果要议和，我的下场就跟袁崇焕一样。”

杨嗣昌是个城府很深的人，他也有苦衷。真正为难卢象升的其实还是崇祯，崇祯这人脾气暴躁，急功近利，虽然也善于做出所谓的成熟帝王风范，但一到节骨眼就掉链子。他发现卢象升上任以后并没能遏制清军的气焰，所以又准备换人了，你说新督师还没上任几天，就准备换人。国家不亡也会被他折腾完。

就在崇祯打算换人的时候，一个叫刘宇亮的人站了出来，自请督查军情。刘宇亮当时是内阁首辅，宰相级别的人物，看到国难当头，挺身而出，也是可以理解的。

崇祯很高兴，革去总督卢象升职务，命刘宇亮代替他。刘宇亮立即说：“我说我去督师啊！打仗这事当然有专门的人负责……”

崇祯愤怒了，他最讨厌别人戏弄自己。其实，首辅大人倒也没打算戏弄皇帝，只是一时激动，报国心切，让崇祯误解了。

首辅大人头顶冒汗，这时杨嗣昌站出来了，他说：“皇上还是不要为难首辅大人了，一把年纪，挺不容易的，有这个心就够了。现在能够担此大任的只有卢象升。”

没办法，三天后，崇祯不得不重新起用卢象升。

松山之战

皇太极这人是不好惹的。

多尔衮的左翼军在幽蓟千里之内如入无人之境，将这片土地蹂躏得不成样子。随后又渡河，攻破山东济南到天津之间的城堡，攻克城堡有四十多座，十七次打败明军，俘获人口近二十六万。

岳托的右翼军表现也很出色，攻克城堡九座，投降城堡两座，击败敌人十六次，杀明军总督两名，俘获人口二十万。

这些战役中值得一提的是高阳城的陷落。

高阳城其实只是一个很普通的县城，当时位处直隶，也就是现在的河北。这个小县城从地理位置来说很不重要，所以没多少兵，也没什么物资。但是它的陷落引起了明清高层的极大关注。

只因为这县城里有一个退休的将领：孙承宗。

孙承宗可以说是培养军事人才的宗师，袁崇焕正是出自他的门下。可以说孙承宗为大明王朝奉献了自己一生的智慧和精力，可惜还是没有能挽救明帝国的大厦，这是一种悲哀。临到死，他还要为国贡献最后一份力量，虽然是绵薄的。

当清军打到高阳城的时候，忽然停滞不前，因为清军的高层已经知道这里住着一个德高望重的老者，这个老者不光德高，能力也是一流的。对于这样的人，皇太极是敬重的。

皇太极派出使者做孙承宗的思想工作，这样既表示给孙承宗面子，又能体现自己仁君的形象。事实上，皇太极是不抱什么希望的，毕竟这么多年的老对手，什么脾气都摸清楚了。

孙承宗是不可能投降的，虽然他明知守不住，还是带着全家老少一起走上城楼坚守。他这种做法与其说是要守城，倒不如说是出于职业习惯和道德情操。孙承宗的精神感动了县城里的老百姓，大家没有一人逃亡，跟着孙承宗一起迎敌。

结果没有悬念，高阳失守，孙承宗被俘。

对于被俘的孙承宗，清军给予了最高的待遇，希望他能弃明投清。口舌浪费得太多，可惜孙承宗坚如磐石。

依照常规，对于这种不肯合作的人最好的惩罚就是推出去砍了，以儆效尤。但是清军没有这样做，这个老头子在他们心目中的地位是非常高的，最好让他自尽。

孙承宗坦然地接受了，向紫禁城叩头，然后从容自尽。

孙承宗之死的消息传来，全国人民都沉浸在悲痛之中。卢象升则似乎从孙承宗之死看出了自己未来的命运。

卢象升看着身后的五千士兵，那眼神是凄厉的，也是惨烈的。是该壮烈殉国的时候了！卢象升穿着孝服，带领五千人冲向清军主力。双方从上午打到下午，明军士气如虹，清军死伤惨重。卢象升的部队也被杀得差不多了，卢象升单枪匹马挥舞着大刀砍死了几十名清军，最终负伤力竭而死。

在关内，皇太极已取得了不少胜利，但是关外辽西走廊上，还有四个坚固的城池：锦州、松山、杏山、塔山。四个城池中又以锦州城为核心，其他三个城相当于卫星城。

为了拿下这四座城池，皇太极决定围困锦州。

说实话，对于关外的这些城池，皇太极是有心理阴影的。因为他在关宁防线上吃的苦头实在是太多了，一朝被蛇咬，十年怕井绳，就连皇太极也不例外。

袁崇焕确实了不起，虽然死去多年，但关宁防线依旧很猛，对皇太极有很强的威慑力。皇太极派兵攻了好几次，但都没有什么结果。皇太极决定动用所有的兵力攻城，并且上百门大炮对着锦州狂轰。

祖大寿站在城头，脸色冷峻，锦州城纹丝不动。皇太极快崩溃了，只好停下攻击，继续围城。

被围三个月后，祖大寿向明廷发出求援书，不过他的求援书写得非常有个性："敌军把锦州团团包围，我们援兵来了之后，千万不要轻易冒进，不要担心我，我还撑得住，半年应该没问题。"

崇祯收到祖大寿的求援信，立即召开会议。与会者一致认为应该去救援，那么派谁去呢？

这时，卢象升和杨嗣昌都牺牲了，剩下的人才中唯一靠谱的就是洪承畴了。

洪承畴也是一名猛将，打李自成、张献忠时的表现是没得说的。崇祯十三年（1640 年）六月十一日，洪承畴带着四万步兵奔赴杏山城，在杏山城城外驻扎。多尔衮率军前来阻拦，双方发生激战。多尔衮虽然没有打退洪承畴，但是也让洪承畴没法前进。

明朝先后派出五拨援兵，不但没有解锦州之围，反而损兵折将。崇祯十四年（1641 年），崇祯命洪承畴为蓟辽总督，指挥八大总兵，十三万兵马，再次解救锦州之围。

在锦州城里有一部分是蒙古的守军，皇太极决定诱降这支蒙古部队。蒙古军本来就是雇佣军，谁给的钱多就跟谁。就在蒙古军队偷偷出城的时候，祖大寿突然带兵杀了出来，和准备出逃的蒙古兵在城门口激战起来。清军反应也很快，听到激战声，第一时间赶过来营救，明军不敌，败入城内。

清军趁这个机会突破，占领了锦州外城。原本帮助明朝的蒙古贝勒诺木齐率众归降，皇太极给予了归降者极好的待遇。

突破锦州外城后，皇太极将锦州城团团围住。明朝多次派援军解救锦州，清军玩的是围点打援，来多少打多少。

洪承畴带着明朝十三万精兵来了之后，就在和清军不远的地方驻扎。每天按时吃饭睡觉，就是不跟清军开打。皇太极是个非常保守的人，看到洪承畴这次率领大军，那是来者不善，善者不来，所以也不打。

洪承畴不打的逻辑非常简单，清军的战斗力很强，如果跟他们硬碰硬，估计很难讨到好处。双方就这么僵持着，对峙了一年。

到了六月底，洪承畴突然率领大军偷袭多尔衮的那支清军。相安无事了一年，多尔衮完全没料到洪承畴会来这么一手，被打得措手不及。这个消息传来，敏感的皇太极意识到一场规模空前的大战即将开始，于是调集了所有的军队前往松山。

为了确保清军能更多一些胜算，皇太极决定亲自指挥这场战役。此时，皇太极的健康已经出现问题，鼻血流个不停。皇太极带病急行军，用了六天的时间到达松山。

清军的总兵力大概在十二万，明军的总兵力是十三万，从人数上说双方实力相当，明军稍占优势。但是将领方面，明军就明显不如清军，多尔衮、多铎、济尔哈朗、岳托等人个个骁勇善战；明军除了宁远总兵吴三桂比较能打外，其他人都不太行。

这一仗，如果洪承畴不出奇招，是必输无疑的。洪承畴对此也是心知肚明的，洪承畴有什么高招呢？

洪承畴觉得野战行不通，就必须寻求地利，所以命令军队抢占乳峰山。乳峰山是个制高点，在这上面固守的话，等于是多了座城池。就在洪承畴准备实施计划的时候，手下一个武官提醒他：“占据高地固然有利，但是我军粮草匮乏，清军一旦抄了我们的后路、截了我们粮道怎么办？”

不过洪承畴没有听进那人的言论。

很多人认为松山之战洪承畴失败就失败在没有听进这个人

的建议，一世英名的洪承畴糊涂一时。真实情况是这样的吗？

洪承畴是个军事家，这点是不需怀疑的。面对皇太极的大军，他很清楚，固守远比进攻要好得多。然而，更糟糕的是，后来洪承畴进攻的时候居然只带了三天的干粮，让人想不通他到底要干吗。

洪承畴本来是想固守，后来为什么又选择进攻呢？进攻的时候为何只带三天干粮？

要弄清这些问题，还得了解他身后的一个人——兵部尚书陈新甲。洪承畴其实是不想进攻的，不是怕死，而是担心打不过。但是陈新甲一直在催他，陈新甲催他，他还可以应付。更要命的是没钱了，没钱就耗不下去，更守不下去。

到了这地步，只能打了。

洪承畴让八大总兵主动袭击清军，也算是给上面一个交代，我打了。袭击的结果不是很理想，被清军击退，一路逃到塔山，被清军围住了。

这时，洪承畴只剩下一个选择，突围出去。他召集八大总兵商量如何突围，进行了细致入微的分工。可惜计划还没有实施，就有两个开溜的，一个是大同总兵王朴，一个就是吴三桂。

皇太极预料到明军今天晚上必然会逃遁，便部署好追击计划。事实证明，皇太极料事如神，明军果然在夜晚开始逃遁，中途到处遇到清军的伏兵，明军死伤惨重。八月二十二日，清军攻破塔山。吴三桂、王朴等人率军退入杏山城。后来，吴三桂和王朴又率军往宁远跑，结果被清军追击，死伤惨重。松山一战，清军斩杀明军五万多人。

现在，松山已经被清军彻底包围，明朝的救援计划失败。洪承畴在松山城内被困住，围城以后，皇太极照例让人向城内射劝降书，劝降书还提到如果投降的话，将不计前嫌，仍然恩遇。

明军不为所动，任凭皇太极威逼利诱，就是不投降。不久，皇太极得知宸妃重病，对关外几城部署好包围之后，便快马回奔盛京。

围城一直持续到第二年（1642年）二月，清军才逮住机会，攻入松山城。这个机会还得感谢夏承德，他作为松山城副将，感觉突围无望，便让人密约清军在他防御的地方，晚上竖起云梯登城，他在城里做内应。夏承德唯恐清军不相信，还把自己的儿子给清军做人质。

二月二十八日，清军进入松山城，生擒明朝总督洪承畴和巡抚邱民仰。得知这个消息，皇太极感到很惊喜，让人把洪承畴押到盛京。得知祖大寿的弟弟祖大乐也在城内，皇太极更高兴了，让人把他也一并押到盛京。

招降洪承畴

一般的人物皇太极都是想尽办法拉拢，更别说像洪承畴这样重量级的人物了。

别人投降就投降了，啥事都没有，洪承畴投降却有很多流言，据说和孝庄献媚有关系。根据《清朝野史大观》的记载，洪承畴之所以降清，是孝庄的功劳。孝庄就是皇太极的庄妃，一个非常有心计的女人。

不过，如果洪承畴真是中了庄妃的媚而投降的话，恐怕也当不上辽东经略了，庄妃固然貌美，但美貌在这里不起决定性作用。洪承畴降清跟庄妃没什么关系，跟范文程的关系倒是非常大。

洪承畴被俘之后，每天都扬言绝食，绝食了很多天还没死。洪承畴绝食的消息传到明朝，京城里家喻户晓，大家纷纷感叹，又出了一个英雄。崇祯也非常感动，感动之余他就想，我不能亏待洪先生啊！

洪承畴应该已经去世了吧！崇祯决定给洪承畴发丧，隆重悼念为国捐躯的英雄。

这边还在这里纠结，那边已经发丧了，一边是求生的欲望，一边是对死亡的崇拜。

皇太极几次劝降洪承畴都失败了，很气馁，干脆推出去砍了吧！范文程就安慰皇太极，不要失望，慢慢来，这件事交给我去办就好了，我一定圆满完成任务。

范文程说话比较靠谱，皇太极就给了他一次机会。

范文程来到洪承畴的牢房里，可能是牢房里灰尘比较多吧，一缕灰尘从屋梁上落到洪承畴的身上。洪承畴用手掸了掸灰尘，这个不经意的动作没有逃过范文程锐利的双眼。看到这一幕后，范文程没有劝降洪承畴，而是直接回去找皇太极。

范文程回去后对皇太极说：“圣上，你不用担心，洪承畴迟早会降的。”

然后，范文程就把自己看到的一幕告诉皇太极，说洪承畴很爱惜衣服，连衣服都爱惜的人怎么会想死呢？

皇太极一听喜上心头，披上大氅就去探视洪承畴。进了牢房后，皇太极二话没说，把大氅披在洪承畴身上，说道：“洪先生，你辛苦了，受委屈了。”

千言万语不及一句“你辛苦了”，洪承畴听了以后非常感动，忙跪在地上大呼：“圣上英明……”

只有“圣上英明”，洪承畴才有得台阶可下，不是我洪承畴软骨头，实在是皇太极太英明了，我不归顺他就是跟天意作对。

从开始洪承畴拒绝给皇太极下跪，并傲慢地怒斥：“我乃天朝大臣，岂拜小邦王子乎！”到现在洪承畴主动下跪，这个过程是一个非常微妙的过程。

洪承畴无疑是在乎自己生命的，应该说不仅是在乎，而且是非常热爱。在生命和大义之间，洪承畴一心想选择大义，因为明朝那边都把他当成英雄了，他不能让普天下的老百姓失望啊！可是，他又热爱生命，怎么办呢？皇太极你得给我个台阶下啊。

当然，洪承畴内心里这种想法肯定是没法对皇太极开口的。幸好，范文程识破了这一切，皇太极配合得很好，洪承畴遇上了明主，事情解决了。

事实证明，皇太极在洪承畴身上的投入是值得的，洪承畴后来为清朝作出了很大的贡献。

祖大寿再次投降

事实上，自从上次祖大寿一去不回后，皇太极就始终忘不掉他，曾经给他写信："自从大凌河一别，有好几年。我无时无刻不在挂念着你，希望能和将军再见一面。将军是去是留，我也不能勉强。将军你虽然屡次和我兵刃相接，但我绝不会把这件事放在心上的，将军不要妄自猜疑。"

皇太极的意思是你可以放心地投降，我绝不会因为上次的事为难你。祖大寿没有任何回音，这是祖大寿的风格。皇太极在耐心地等待，终于在崇祯十五年（1642 年）三月十日，祖大寿熬不住了，出城投降。投降后，祖大寿认罪："我知道自己有罪，我和洪承畴的情况不太一样，我罪该万死。昔日被困大凌河时，粮尽投降，圣上不但不杀臣，反而优待臣。臣后来背弃圣恩，实在是罪该万死。"

皇太极想了想说："大寿你说的也有道理，换到其他人手中你死一万次也不够。但你背叛我，一是为了前老板崇祯，二也是为了家人和亲戚。但让我杀你，我肯定是下不了手的。你是个人才，我不想损失你这样的人才。我常常对部下说，如果交战中遇到祖大寿，一定要生擒，因为我不想你死。只要你以后为我踏踏实实做事，我就心满意足了。”

祖大寿听了，连连叩头谢恩。祖大寿也是说好话不做好事，答应皇太极帮他老老实实办事，结果啥事也没办。侍奉二主的人，只要稍微有些良心，都是纠结的，祖大寿是一个纠结的人。

应该说，皇太极对祖大寿是非常恩遇的，几乎把他摆在跟贝勒多尔衮、多铎等平起平坐的位置上，还赏赐给他五爪龙纱朝衣，这衣服就相当于后来的御赐黄马褂。皇太极虽然也有很多不足，但是像他这样高瞻远瞩、胸怀宽广深邃的领导者在封建时代其实并不多见。

洪承畴投降了，祖大寿投降了，很多很多人都投降了。崇祯感到惊慌，尤其是为洪承畴开完追悼会后，发现这人居然没死，很是失望。

第九章 结　局

几百年来，皇太极暴死之谜引发了后人无数的猜想。其中，在坊间流传最广的是皇太极死于谋杀。很多人怀疑凶手是皇太极的政敌兼情敌多尔衮，庄妃也是当事人之一。庄妃和多尔衮青梅竹马，后来嫁给皇太极。皇太极死后，两人公开出入，俨如夫妻，人们怀疑庄妃和多尔衮合谋杀害皇太极也不稀奇。

崇祯的结局

崇祯是一个很悲剧的人，即使他性格中有一些弱点，也不能不承认他的命运是一个悲剧。公正地说，他是一个积极向上的皇帝，掌权十七年来，每天都想把国家往好的方面推，但国家就像一栋坏掉的大厦，他越推倒得越快。

大明天下，奈何亡于朕手——道出了内心深处多少沧桑和无奈！

文臣个个可杀——又是怎样的悲怆和愤怒！

得知锦州失守后，崇祯飘飘倒倒，差点儿站立不稳。崇祯的压力非常大，几近崩溃边缘。可是他不能倒下，他告诉自己，只要大明江山还有一口气，就一定要撑下去，哪怕是撑死自己也无所谓。

国之将亡，必有妖孽，这些年来，崇祯经常做一些离奇古怪的梦。有一天，他做了一个非常玄的梦。他梦见有人在他的手中写了一个字——有。据说，这个梦崇祯做了好几次。

他召集文武大臣，问大家这个梦到底有什么预兆。大家都说很好啊，有比没有要好得多。听到大家都这样说，崇祯心里好受很多，这个梦大概是说大明还有得救。

但崇祯的贴身太监王承恩听到这个梦后大惊失色，下朝后找到崇祯，对他说这是一个非常可怕的梦，这个梦象征着大明的灭亡。

王承恩说“有”字其实要拆开来看，实际上是“大明”两个字组成的。上面是大字少一撇，下面是明字少一边，而且少的是“日”字，意味着大明江山只剩下一个空架子、影子。

崇祯做这个梦的时间恰好就是李自成从深山里出来的时间。李自成出来的时候身边只有几十个人，一年后，就占领了好几个县城，人数飙升到上万人。李自成毕竟名声在外，1640年春节过后，他带领自己的农民军进入河南。这一年，河南大旱，李自成闹革命这么久也闹出经验来了，知道大旱对崇祯是不利的，对自己很有利。

进入河南后，李自成一挥手，河南的灾民纷纷向闯王的旗帜靠拢。不是灾民想造反，而是因为不造反实在没有活路了。没吃没穿的，明朝廷还是征税。明朝廷也没有办法，国内流寇四起，不镇压总不是办法，镇压就得花钱，花钱就得征税。何况清军那边压力相当大，每年的军费都是一笔沉重的负担。

明朝廷要交税，行，李自成就弄个口号："吃他娘，穿他娘，打开城门迎闯王，闯王来了不纳粮。"

真是气死崇祯了，崇祯这边征税，忙着消除内忧外患，那边农民出身的李自成搞出个什么"闯王来了不纳粮"。

群众一下子炸开了锅，天下还有这么个不纳粮的救世主，不跟他又跟谁？

崇祯无奈地感到大明的气数就快完了，剜肉医疮了这么多年，似乎就要走到尽头。说到气数，崇祯最开始是不相信的，刚开始的时候他是个坚定的人定胜天派，他相信凭借自己的努力能够挽狂澜于未倒。到后来，狂澜已经倒了，如果再不相信，就是承认自己没能力，崇祯当然宁愿相信命数。

气数到底是个什么东西呢？用哲学的话来讲，就是一个事物自身的寿命期限，不光生命有寿命，王朝也有。这就好比一个电器，有使用时间，过了这个时间，各项零件开始老化，如果继续使用的话，就很容易出问题。

让我们把目标聚焦在崇祯身上吧！这是怎样一个场景，京城上空，乌云遮天，大风起兮，灾难的消息从全国四方八方飞向京城。崇祯孤独瘦削疲惫的脸上是无尽的凄凉和怅惘，李自成又出山了，张献忠还在乱来，自己手下能干的将领死的死、降的降，陕西、四川、河南等被贼兵相继占领，关外的城池也是接二连三丢失。

在一次会上，崇祯终于控制不住放声大哭，边哭边说："朕在位十六年，国家饱经忧患，灾难这么多。到如今，贼寇四起，鞑虏欺负上门，都是朕失德啊！"

大臣们都说，皇上，这不是你的错啊，大明的气数将尽，这是谁也无法挽回的。

就在崇祯和大臣们哭哭啼啼的时候，李自成大军已经扩张到十几万人，占领了河南全境。李自成杀掉了陕西总督傅宗龙和汪乔年，接着又杀了福王朱常洵。随后，李自成进入陕西，击败孙传庭，占领西安。1643 年，李自成纠集所有的兵力向京城进发，明王朝危亡在即。

三个月后，李自成的军队到达西直门。这一天是农历三月二十七日，李自成办事很讲效率，让士兵们火速攻城。明朝的文武百官更讲效率，还不等李自成把城攻下来，很快就打开城门欢迎闯王。

这一天，外城失陷；第二天，内城失陷。城破之时，崇祯用刀割破手指，在书案上写下"文臣个个可杀"六字，接着又用血写了一道诏书，这道诏书不是给大臣的，也不是给自己子女的，而是给李自成的。他对李自成说，我所以走到今天完全是被大臣害的，你可以把我碎尸万段，可以把我的文武百官全部都杀死，但一定要善待老百姓。

崇祯的自我评价是："朕非亡国之君，诸臣皆亡国之臣。"

崇祯是中国历史上因失败而自杀的唯一皇帝，应该说是一个有骨气的人，有骨气的人是值得欣赏的，但骨气并不能遮盖一个人的错误和缺点。人们对崇祯的印象不是特别坏，就因为这人勤政，不好酒色，生活相当简朴，亡国后与国同亡。

这真是一个要命的夜晚，多少国仇家恨涌上心头。不过，崇祯没有时间去悲哀，没有时间去痛哭。他必须先处理一些事情，然后再上吊。

崇祯命令皇后和妃子们上吊，看着梁上一副副摆动的躯体，他突然发现身边还有一个女儿，这个女儿就是长平公主，也就是金庸《碧血剑》中的阿九姑娘，崇祯对她说："孩子，你也上吊吧！"

九姑娘毕竟年轻，怕死，想逃走，崇祯用刀追她，砍断了她的手臂。阿九姑娘到底有没有被崇祯杀死，这个不知道，是个悬念，所以金庸才借用这段历史发挥。但这事情在历史上是真实发生的，并不是什么传闻。

有人说崇祯砍伤女儿实在太过残忍，不过拿崇祯本心来说，他是不希望女儿承受更大的侮辱。有人认为这是伟大的父爱，问题是崇祯把自己的儿子赶出宫，让他跑掉，为什么不可以给女儿相同的待遇，所以伟大的父爱也谈不上。

这些事情处理完后，崇祯带着王承恩一路走到煤山，崇祯先上吊，王承恩后上吊。

大明王朝就此结束。

皇太极的结局

明崇祯十五年（1642年）五月，崇祯派出一个庞大的代表团到宁远城，等待皇太极的接见。

其实，崇祯向来是不怎么把皇太极放在眼里的，自视天朝上国，清国不过是个弹丸小国。所以，之前皇太极多次致信崇祯，都如泥牛入海无消息。现在皇太极通过军事手段沉重地打击了崇祯，崇祯主动来求和，应该说是难得一见的机会。

皇太极并没有摆架子，而是表示愿意与明朝对话，派遣兵部官员前去宁远迎接明朝代表团。皇太极友好地接待了明朝的使者，好吃好喝地伺候了他们几天，最后让他们带一封信给崇祯。信的内容比较长，无非是说明清两国有矛盾是明朝的不对，最后也最重要的意思是明朝要给清贡金，同时重新划分疆土。

皇太极要求明朝每年给清纳贡黄金万两、白银百万两，强弱之势已经扭转，以前是后金向明朝纳贡，现在变成了明朝向大清纳贡。饶是形势如此，感情上也让人无法接受。

皇太极还要求明朝把山海关之外的领土全部划归清。皇太极多年来攻克关宁防线受挫，现在想不费一枪一弹就占有曾经花费几十年都打不下来的地方，应该说想得太美，但也想得合理。

崇祯读到这封信的时候，愤怒是不必说的。但是，现在不咽下这口气不行，崇祯也不想和皇太极打笔仗，干脆懒得回他。

崇祯不回信，正中皇太极下怀，这样就有了发兵的借口。这时，清的许多大臣极力主张大军直捣黄龙，拿下北京。大家都觉得时机已经成熟，可以攻取明朝的心脏。但皇太极一向是个保守的人，他认为现在还不是时候，就如同砍树一样，先把两边的枝丫砍掉，然后再来砍主干。皇太极是个好儿子，谨记着努尔哈赤的教诲。

皇太极认为攻入北京不必急于一时，应该说这个策略是正确的。然而，人算不如天算，皇太极没有料到，从容虽好，自己却从容不了多久。

十月十四日，皇太极命令阿巴泰为大将军，率领大军去砍伐明朝枝丫。出征之前，皇太极再次给他们申明军纪，强调“五勿”。

这次出征，战果也是丰富的。第二年（1643年）的六月十一日，阿巴泰凯旋班师。这一次出征，阿巴泰歼灭了明朝的一个亲王、五个郡王，俘获明朝宗室上千人；攻克了六十七个县，占了八十八座城池，抢到黄金一万两千多两、白银二百五十万两，还有其他各种宝贵物品一大堆；俘获了近三十七万的人民，这些人民是不是真的愿意成为清的人民就没人知道了。阿巴泰的表现不错，虽然皇太极抱病，还是亲自出城迎接。

然而，没有人想到两个月后皇太极居然“无疾而终”。更奇特的是，深谋远虑的皇太极也像他的父亲一样没有留下任何遗嘱。难道皇太极不知道皇位争夺的激烈程度？作为一个过来人，皇太极对此比谁都清楚。既然如此，他为什么不留下遗嘱？

史书记载，清崇德八年（1643 年）农历八月九日，“是夜，亥刻（晚上九点到十一点），上无疾，端坐而崩”，享年五十一岁。

说皇太极无疾而终，大家都不相信。好端端的一个人，又不是特别老，怎么可能会说死就死。史书的记载反而更加激起人们对皇太极死亡之谜的好奇。有人怀疑皇太极是被人谋杀的，也有人怀疑皇太极是病死的。

几百年来，皇太极暴死之谜引发了后人无数的猜想。其中，在坊间流传最广的是皇太极死于谋杀。很多人怀疑凶手是皇太极的政敌兼情敌多尔衮，庄妃也是当事人之一。庄妃和多尔衮青梅竹马，后来嫁给皇太极。皇太极死后，两人公开出入，俨如夫妻，人们怀疑庄妃和多尔衮合谋杀害皇太极也不稀奇。

人们忽略了一个事实，皇太极生前最爱的女人并不是庄妃，而是她的姐姐宸妃。庄妃比宸妃提前九年入宫，但并不怎么受宠。1634 年，时年二十六岁的海兰珠——来自蒙古草原的美丽女子，进入皇太极的宫中，成为他的侧福晋。

海兰珠的美丽是毋庸置疑的，虽然她的名气没有庄妃大，但显然更讨皇太极的欢心。皇太极很早就仰慕她的美名，见了她之后，相见恨晚，两人爱得如胶似漆。

皇太极称帝之后，海兰珠被册封为宸妃，地位仅次于皇后。皇太极还把她住的地方赐名“关雎宫”，以此来表达对海兰珠的爱慕之情。

很长时间以来，皇太极是没有立继承人的打算的，虽然长子豪格把秋水都给望穿了。1637 年，宸妃生下皇八子后，皇太极喜出望外，召集群臣讨论立嗣的问题。如果这个皇八子能够自然成长，继承人应该就是他了，可惜这个皇八子只活了两百多天便夭折了。两天后，庄妃生下了皇九子福临。

自从皇八子去世后，皇太极再也没有提立嗣的问题。

有人会感到奇怪，皇太极总共有十一个儿子，除了三个夭折的，还有八个，从这八个中挑选一个继承人应该不是什么难事吧！汉族皇权讲究的是嫡长子继承制，满族虽然没有这个规定，但长子豪格摆在那里。国赖长君，豪格当时已经三十四岁了，绝对算是个长君。而且豪格战功卓著，曾经还为了讨好父亲杀掉自己的老婆——莽古尔泰的女儿。

应该说，皇太极和豪格虽然是父子，但性格差异太大，豪格的性格倒是跟莽古尔泰有些像。所以，固然他是长子，但皇太极实在不看好他，而且认为豪格对自己不真心，父子之间猜疑很重。

皇太极之所以喜欢皇八子是因为喜欢宸妃。皇八子夭折后，海兰珠精神陷入恍惚中，情绪很低落，身体也一天比一天差。皇太极虽然想尽办法安慰她，让她开心，但都不怎么管用。

后来前线告急，皇太极又不得不立刻赶到前线去。一路上，皇太极的鼻血不停地流，心里很痛苦，一边是战争，是国家大事；一边是宸妃，是痛失爱子心情抑郁的心爱之人。皇太极经过六天六夜疾驰到前线，终于改变战局，打败明军。就在皇太极忙于前线的时候，忽然接到消息，说宸妃病重。

听到这个消息，皇太极快崩溃了，他知道如果宸妃不是病得特别厉害，宫中不会派人到战火纷飞的前线来报告。皇太极忧心忡忡，立即决定返京。为了快点儿回到宸妃身边，据说皇太极日夜奔驰，累死了六匹马。

尽管如此，他还是没能见到宸妃最后一面。听到宸妃去世的消息，皇太极大悲：“老天啊，你一直眷顾大清，却为什么不让朕与这辈子最爱的女人当面诀别！”

回到盛京后，皇太极径直奔向关雎宫，伏在宸妃的尸体上痛哭。皇太极对宸妃的爱情是真实的。

皇太极亲自为宸妃操办丧事。葬礼之后，皇太极没有进清宁宫居住，而是在宫中搭起一个临时帐篷，思念宸妃海兰珠，她也许是皇太极这辈子唯一爱过的女人。

宸妃离世之后，皇太极感觉自己身体和心灵都衰老了不少。一次，祭拜宸妃的时候，皇太极感慨地说："山太险峻了就会倒下，树木太高容易折断，年纪大了就会衰弱，这是老天给我的忧虑。"

清崇德八年农历八月九日，皇太极像平常一样办公，晚上端坐在清宁宫的暖炕上，无疾而终。

既然如此，为什么有人把皇太极之死演绎成一个有悬念的谋杀案呢？

后世野史说多尔衮和庄妃密谋杀了皇太极，金庸在《碧血剑》里更是借袁承志的眼睛把这一幕展现得活灵活现。袁承志本来是准备刺杀皇太极的，跟着皇太极来到庄妃的寝宫，皇太极发现庄妃正和多尔衮偷情。多尔衮来不及逃跑，竟把皇太极刺死了。

世人有这种猜测也是可以理解的，毕竟当年皇太极逼死多尔衮的母亲阿巴亥，夺取了最高领导权。但这种怀疑是没有根据的，文学不能当成真实的历史来看。

史书说皇太极无疾而终恐怕也是不负责任的，大家知道皇太极晚年有一个老毛病——经常流鼻血。流鼻血本不是个大事，但皇太极特别严重，据说有一次鼻血连续六天不止。引起流鼻血的原因很多，可能是体内火气过旺，也有可能是肾虚，还有可能是高血压。这几种可能在皇太极身上都有可能出现，现在没法给皇太极体检，所以具体原因我们不知道，我们唯一可以肯定的是，皇太极有病，并非像史书说的那样无疾而终。

这一点在史料中也是有记载的，史料中经常出现什么“圣躬违和”“圣躬不豫”等字样。清崇德七年农历十月二十日，“圣躬违和，肆大赦。凡重辟及械系人犯，俱令集大清门外，悉予宽释。”

可见，皇太极不仅有病，而且病得相当严重，以至于用天下大赦的方式向上天祈求健康。当然，他的病可能跟宸妃去世受到的打击有关。皇太极的病严重到什么地步呢？严重到他不得不交出权力，让其他人处理国家大事，尽管他还想治国，可惜实在力不从心了。

清崇德八年农历四月初六，皇太极派人去朝鲜索要一种名为竹沥的药材，并要求朝鲜选派名医前来为自己会诊。根据《李朝中宗实录》的记载，皇太极患的病叫风眩之病。据说唐高宗李治患的就是这种病，这是一种非常复杂的病，在当时是治不好的。这种病究竟是怎么引起的，现在我们也不太清楚，通俗的理解就是阴阳失调。

风眩又有一种说法叫风痰。从崇德七年（1642 年）开始，皇太极的压力越来越大，明清之间的战争处于白热化时期，皇太极诸事繁多，常常是通宵达旦地工作，加上丧失爱妃，难免痰火上升而头晕目眩，病情加重。竹沥是竹子的汁液，入药后可以祛痰。这么看来，皇太极很可能是病死的，而且是死于“痰疾”。

那么，官方史书为何说皇太极无疾而终呢？那是因为皇太极从最后一年四月份开始，疾病似乎有所好转，在人们眼里皇太极身体逐渐康复，事实上这应该只是一种假象。

接班人之争

皇太极就这么突然离世了，难为了那些活着的人。

大清的权力出现了一个真空，这个真空将由谁来填补呢？皇太极没有留下任何遗言，连只言片语都没有。

大清前途未卜，当时有三个人最有可能继承皇位。

第一个人还是大贝勒代善，早在努尔哈赤死后，代善就有望成为最高领导者，最后出于各种原因被皇太极拔得头筹。皇太极执政后，代善的地位一直是二把手，哪怕是跟皇太极不和，这个位子也从来没有动摇过。现在，皇太极死了，代善要继承帝位可以说是举手之劳。

不过，代善不太可能再次继承帝位，这不光是脸面的问题，还有人的心理习惯因素在里面。第一次机会的时候你没赶上，再赶第二次就没意思，跟小辈争抢也显得太不自重。

第二个有望继承帝位的是睿亲王多尔衮，传闻说努尔哈赤生前最喜欢多尔衮，还留下遗言让多尔衮继承汗位。不过，多尔衮那时太小，才十四岁，没法和皇太极抢。今非昔比，现在多尔衮三十一岁，正当盛年，而且立下赫赫战功，与兄弟阿济格和多铎成为大清国的骨干力量。兄终弟及，在女真族也不是什么奇怪的事，多尔衮是一只很有潜力的股，地位比他高的只有代善和济尔哈朗，算是大清的第三号人物。

第三个很有希望的人是皇太极的长子肃亲王豪格，此时豪格三十四岁，也是战功赫赫的人物。应该说，皇太极虽然不是很喜欢豪格，但还是很重视他的。打仗时经常把豪格放在第一线，而且对他要求非常严格。但豪格这人性格有点儿骄横和刚愎自用，经历过好几次大起大落。豪格在大清的地位仅次于多尔衮，由于代善主动出局，竞争就在多尔衮和豪格之间展开。

豪格自信满满，因为他觉得自己功劳很大，又是皇太极的长子，自己不当皇帝谁当皇帝？豪格召集八大臣在自己家中策划“竞选”大事，八大臣商定一起推举豪格当皇帝，甚至强调用武力做后盾，如果有人敢反抗的话……

豪格很清楚，自己要当皇帝，需要得到郑亲王济尔哈朗的表态，他派去使者软磨硬磨，济尔哈朗总算同意他当皇帝。得到济尔哈朗的同意，豪格认为自己当上皇帝毫无悬念。

当然，多尔衮哥儿仨肯定是不服的。

决定接班人的会议在崇政殿举行，这一天是农历八月十四。两黄旗大臣索尼和鳌拜很早就来到崇政殿，并让卫士将崇政殿团团包围。会场上一片杀气，索尼和鳌拜首先表态：“我们吃先帝的，穿先帝的，先帝对我们的养育之恩如同皇天。如果不立先帝的儿子，我们宁死也要陪先帝。”

那意思很明显，如果有谁想染指帝位，那就来一场你死我活的拼杀吧！

虽然里里外外杀气腾腾，多尔衮还是不慌不忙地说：“你们两个退下，讨论继承人的事，还轮不到你们发言。”

两人只好老老实实地退出去，毕竟帝位继承的事情只有诸王才有发言权。

现在最关键的是代善的态度，代善说道：“豪格是先帝长子，理当继承大统。”豪格一听，心安理得，这下皇位飞也飞不掉了。然而，令他恼火的是多尔衮三兄弟居然沉默不语，那意思很明显，我们不赞同。

豪格沉不住气了，大怒：“我年少德薄，非所堪当！”说完，居然耍大牌，径直走人。从豪格的身上，我们再一次看到做人一定得淡定，再淡定一会儿，一切可能还不好说，可惜豪格很冲动。

豪格走后，阿济格和多铎趁机劝多尔衮继位。然而，多尔衮考虑的问题更多，他知道万一自己同意了，搞不好跟代善和豪格就会兵戎相见，便沉默不语。这时，他的弟弟多铎也沉不住气了：“如果睿亲王不想当，立我也行，太祖在遗诏里也提到我。”

多尔衮觉得多铎和豪格一个德行，很不满地说：“肃亲王豪格在太祖遗诏中也提到了，并不止你一个人。”

代善忽然笑里藏刀地说：“睿亲王多尔衮如果继位的话，当然也是国家的福气，否则就应该立皇子，皇太极在的时候我一直辅佐他，现在走了，只要还有一口气，我还得为他出力啊！”

多尔衮的脑子飞快地转着，他知道现在朝中支持豪格的占多数，如果自己继位，势必引起分裂，但他又很讨厌豪格，不想让豪格当皇帝，便说道："肃亲王豪格既然坚决不愿意当皇帝，我们也不能勉强他，应该尊重他个人的意见。我也同意立先帝的儿子，咱们不妨让福临继承皇位吧。福临年纪小，就由我和济尔哈朗辅政吧！"

这个提议得到了双方的赞同，最后悔的人莫过于豪格。豪格满腹牢骚，逢人便大骂多尔衮，结果被人告发。

结果是豪格被检举，多尔衮把他处决。当然，这一切都是在顺治帝的名义下进行的。顺治帝亲政后，给豪格平反，重新封他为和硕肃亲王。顺治十三年（1656年），豪格被追谥为肃武亲王，成为清朝第一个被追谥的亲王。

当然，福临能当上皇帝还得感谢母亲孝庄，因为皇太极的儿子众多，不立豪格不一定就非得立福临。孝庄这个躲在历史后台的女人在之后会正式出场，这确实是一个非同一般的女人。

好了，大清帝国的崛起到这里就算告一段落，下一本书我们将讲述多尔衮、孝庄和顺治的那些事儿。

清朝皇帝列表

（清建国于 1616 年，初称后金，1636 年始改国号为清，1644 年入关。）

姓名	庙号	年号	年份	陵墓
爱新觉罗·努尔哈赤	太祖	天命	1616	福陵
爱新觉罗·皇太极	太宗	天聪　崇德	1627　1636	昭陵
爱新觉罗·福临	世祖	顺治	1644	孝陵
爱新觉罗·玄烨	圣祖	康熙	1662	景陵
爱新觉罗·胤禛	世宗	雍正	1723	泰陵
爱新觉罗·弘历	高宗	乾隆	1736	裕陵
爱新觉罗·颙琰	仁宗	嘉庆	1796	昌陵
爱新觉罗·旻宁	宣宗	道光	1821	慕陵
爱新觉罗·奕诉	文宗	咸丰	1851	定陵
爱新觉罗·载淳	穆宗	同治	1862	惠陵
爱新觉罗·载湉	德宗	光绪	1875	崇陵
爱新觉罗·溥仪		宣统	1909	华龙陵园

图书在版编目(CIP)数据

这才是清朝. 1，帝国崛起 / 鹿鼎公子著. —2版. —北京：中国法制出版社，2023.6（2025. 12重印）

ISBN 978-7-5216-2905-7

Ⅰ. ①这… Ⅱ. ①鹿… Ⅲ. ①中国历史—清代—通俗读物 Ⅳ. ①K249.09

中国版本图书馆CIP数据核字（2022）第173578号

策划编辑：胡　艺（ngaihu@gmail.com）

责任编辑：胡　艺　　封面设计：汪要军

这才是清朝. 1，帝国崛起

ZHE CAI SHI QINGCHAO. 1, DIGUO JUEQI

著者 / 鹿鼎公子

经销 / 新华书店

印刷 / 北京虎彩文化传播有限公司

开本 / 880毫米×1230毫米　32开　　印张 / 8.5　字数 / 169千

版次 / 2023年6月第2版　　2025年12月第6次印刷

中国法制出版社出版

书号ISBN 978-7-5216-2905-7　　定价：39.80元

北京市西城区西便门西里甲16号西便门办公区

邮政编码：100053　　传真：010-63141600

网址：http://www.zgfzs.com　　**编辑部电话：010-63141817**

市场营销部电话：010-63141612　　**总编室电话：010-63141606**

（如有印装质量问题，请与本社总编室联系。）